GORDON RAMSAY

BUCĂTĂRIA LUMII

REȚETE FANTASTICE DE PRETUTINDENI

REȚETE DE
GORDON RAMSAY
ȘI MARK SARGEANT

TEXT DE
EMILY QUAH

FOTOGRAFII DE
CHRIS TERRY

Introducere

În ultimii ani, preparatele culinare au devenit mult mai inovatoare și mai interesante. Îndeosebi la Londra, dar și în întregul Regat Unit, avem la dispoziție tot felul de opțiuni atunci când vine vorba despre restaurante care oferă preparate de pretutindeni. Veți găsi, cu siguranță, în majoritatea orașelor diverse restaurante cu stiluri distincte de a pregăti mâncarea, de la specialitățile thailandeze exotice pe bază de curry până la felurile franțuzești clasice.

Meseria m-a purtat în ultimii ani în numeroase locuri îndepărtate, dar, de fiecare dată când revin acasă, sunt impresionat de calitatea mâncării servite la restaurantele mele preferate. Ca multora dintre voi, probabil, îmi place la nebunie să mănânc un curry de calitate într-o seară de vineri. Garantat, restaurantul meu favorit cu specific indian are propria stea Michelin și mi-am dat seama că unele dintre felurile de mâncare sunt la fel de bune ca cele pe care le-am savurat în călătoria pe care am făcut-o de curând în India.

Însă nu totul se rezumă la stele Michelin. E adevărat că există încă restaurante care servesc o mâncare de calitate inferioară, dar, din fericire pentru toți, criza economică din prezent a obligat restaurantele să își reevalueze afacerea și să ofere clienților servicii de calitate. Acest lucru nu înseamnă doar a veni cu feluri de mâncare gustoase și consistente, la prețuri rezonabile, ci și a asigura o ambianță plăcută, servicii prietenoase și atente și curățenie generală. Acestea sunt aspecte de bun-simț, ignorate până acum de mulți proprietari de restaurante.

Altă consecință pozitivă a crizei financiare este că oamenii au început să-și petreacă o mai mare parte a timpului liber acasă. Prin urmare, sper că lumea se va apuca serios de gătit. La fel cum simțul nostru gustativ se adaptează și evoluează, așa ar trebui să se întâmple și cu registrul nostru culinar. Diversele ingrediente exotice disponibile acum în majoritatea supermarketurilor ne-au ajutat să gătim mai simplu și mai convenabil o gamă largă de rețete, de la deliciosul osso buco italienesc până la sărmăluțele orientale. Orice ingredient care nu se găsește într-un lanț de magazine important poate necesita un drum la o băcănie din Orient sau din Asia, dar priviți acest lucru mai puțin ca pe un inconvenient și mai mult ca pe un drum către descoperire. Până la urmă, cea mai bună modalitate de a afla despre ingrediente neobișnuite este să le folosiți la gătit.

Pentru această carte am făcut o selecție cu preparatele mele preferate din zece bucătării foarte diferite – de la cele mai bune preparate din Europa până la cele din China, Thailanda și alte ținuturi îndepărtate. Fiecare bucătărie are la bază o cultură adânc înrădăcinată în obiceiurile și în tradițiile specifice regiunii respective, astfel că rețetele alese de mine nu pot decât să vă deschidă apetitul și să vă ațâțe curiozitatea. Totodată, am imprimat acestor rețete ceva din personalitatea mea, aducând, în unele cazuri, elemente noi și surprinzătoare, pentru a le face mai accesibile și mai ușor de preparat acasă. Sper că ele vă vor inspira să lăsați confortul deoparte și să încercați ceva nou în fiecare săptămână. Poftă bună!

BUCĂTĂRIA FRANȚUZEASCĂ

CHIAR DACĂ STILUL MEU DE A GĂTI S-A SCHIMBAT
ȘI A DEVENIT ACUM MAI ECLECTIC, INIMA MEA
APARȚINE ÎNCĂ FRANȚEI. MI-AM PETRECUT ANII DE
UCENICIE ÎNVĂȚÂND DE LA FRAȚII ROUX, IAR ȘEDEREA
MEA DE TREI ANI LA PARIS M-A AJUTAT ENORM
SĂ CUNOSC BUCĂTĂRIA FRANȚUZEASCĂ. DE FIECARE
DATĂ CÂND REVIN, MERG PRIN PIEȚE – UIMITOARELE
PRODUSE NU CONTENESC SĂ MĂ INSPIRE, IAR LA
ÎNTOARCEREA ACASĂ, DEBORDEZ DE IDEI. PE LÂNGĂ
NUMEROASELE PREPARATE FANTASTICE, DESIGUR,
MAI ESTE ȘI VINUL! DE-A LUNGUL ANILOR,
AM ÎNVĂȚAT FOARTE MULTE DE LA BUCĂTĂRIA
FRANȚUZEASCĂ ȘI NU VOI UITA ASTA NICIODATĂ.
DA, LUCRURILE AU EVOLUAT SPECTACULOS,
DAR, FĂRĂ AUGUSTE ESCOFFIER SAU FERNAND POINT,
UNDE AM FI ACUM?

Brandadă pe pâine prăjită cu usturoi

ACEASTA ESTE ABORDAREA MEA PENTRU CLASICA brandadă. În loc de cod sărat, care necesită ținerea în saramură mult timp, prefer să înmoi codul proaspăt în ulei de măsline, ca să fie mai fraged și mai suculent. Ca aperitiv delicios, serviți brandadă pe pâine prăjită cu usturoi, însoțită de o salată ușoară și vin sec rece.

6–8 PORȚII

Brandadă:
300 g file de cod, fără piele
150 ml de ulei de măsline
1/2 de linguriță de sare gemă
2 fire de cimbru
350 g de cartofi
150 ml de smântână
150 ml de lapte integral
2 căței de usturoi, curățați
  și tăiați felii
sare de mare și piper negru
2 fire de busuioc tocate

Pâine prăjită cu usturoi:
4–6 baghete mici (sau 1–2 mari)
1 cățel de usturoi mare, curățat
  și tăiat pe din două
ulei de măsline extravirgin,
  pentru a asezona

Uitați-vă cu atenție dacă peștele are oase mici și îndepărtați-le cu o pensetă de bucătărie. Puneți într-o cratiță mică uleiul de măsline, codul, sarea gemă și un fir de cimbru. Lăsați cratița la foc mic 8–10 minute, până când carnea de pește începe să se desprindă ușor. După ce se răcește, scurgeți-o bine, păstrând uleiul. Rupeți carnea în bucăți mari.

Curățați cartofii și tăiați-i cuburi de 2 cm. Așezați-i într-o cratiță, împreună cu smântâna, laptele, usturoiul, restul de cimbru și câteva mirodenii. Fierbeți-i la foc mic 10–12 minute, până când se înmoaie. Scurgeți-i, scoateți cimbrul și pasați-i ușor. Amestecați-i cu bucățile de cod, adăugând puțin din uleiul păstrat, apoi asezonați cu sare și piper, după gust. Așteptați să se răcească, apoi adăugați busuiocul tocat. Se recomandă ca brandada să fie servită la temperatura camerei.

Când este aproape gata de servire, preîncălziți grătarul la treapta cea mai mare. Tăiați subțire baghetele pe diagonală, iar pe cele mai mici pe din două și așezați-le pe o tavă. Coaceți-le pe grătar cam 1 minut (dacă le-ați tăiat pe jumătate, puneți-le cu partea rotundă în sus) până se rumenesc ușor, apoi întoarceți-le și frecați cu usturoi părțile necoapte. Stropiți cu ulei de măsline extravirgin și lăsați-le să se coacă până ce devin rumene și crocante. Nu le lăsați nesupravegheate, pentru că se ard destul de repede.

Puneți brandada cu o lingură în boluri mici și măcinați puțin piper pe deasupra. Așezați pâinea prăjită cu usturoi alături, pentru ca fiecare invitat să se poată servi la masă. Sau, dacă preferați, puteți mânca pâinea prăjită cu brandada deasupra.

Moules marinière

MIDIILE DE CULTURĂ se găsesc acum aproape tot timpul anului, ceea ce înseamnă că ne putem bucura oricând de acest preparat deosebit, care merge la fel de bine și în zilele călduroase, și în cele reci. Serviți-le în boluri de supă, alături de cartofi prăjiți, dacă preferați, cu maioneză și multă pâine prăjită, pentru a vă bucura din plin de sucurile aromate.

4 PORȚII

1 kg de midii vii
1 ceapă, curățată și tocată mărunt
1 ceapă roșie, curățată și tocată mărunt
1 frunză de dafin
3 fire de cimbru
1 mână de frunze de pătrunjel tocate
200 ml de vin alb sec
piper negru

Spălați cochiliile sub un jet de apă rece, îndepărtând cu un cuțit orice impuritate, precum și „bărbile". Examinați midiile, îndepărtați-le pe cele sparte sau deschise și păstrați-le pe cele închise. Scurgeți-le bine și lăsați-le deoparte.

Puneți într-o cratiță mare ceapa, ceapa roșie, usturoiul, frunza de dafin, cimbrul, tulpina de pătrunjel și vinul. Când dau în clocot adăugați midiile și acoperiți cratița cu un capac etanș. Scuturați o dată sau de două ori cratița, apoi lăsați midiile la aburi 3–4 minute, până când se deschid. Îndepărtați-le pe cele care au rămas închise. Asezonați-le cu mult piper măcinat. Midiile sunt sărate natural, deci probabil că nu va fi nevoie să adăugați sare.

Așezați midiile și sucul lor în boluri calde, mari, și presărați pe deasupra pătrunjel tocat. Serviți-le imediat și nu uitați să oferiți boluri pentru cochiliile goale.

Scoici Saint-Jacques la foc iute

Scoicile Saint-Jacques, dulci, suculente și proaspete, trebuie tratate cu multă grijă pentru a le păstra suculența – dacă le țineți prea mult la foc, ele devin extrem de dure și capătă o consistență de cauciuc. Eu folosesc această tehnică simplă pentru a mă asigura că se gătesc rapid și uniform.

Tăiați scoicile pe din două, în discuri. Încingeți o picătură de ulei de măsline într-o cratiță cu pereți groși. Asezonați scoicile cu sare de mare și piper negru și așezați-le în cratiță în sensul acelor de ceasornic, formând un cerc. Prăjiți-le 1 minut, până când se rumenesc pe margine, apoi întoarceți-le în aceeași ordine în care le-ați plasat în cratiță. Prăjiți-le nu mai mult de 1 minut pe partea cealaltă – ele trebuie să rămână destul de moi. Stoarceți deasupra puțină zeamă de lămâie și serviți-le imediat.

Scoici Saint-Jacques la tigaie cu **vinegretă** de **praz**

ATÂT PRAZUL, CÂT ȘI SCOICILE SAINT-JACQUES FOARTE PROASPETE au o delicioasă dulceață naturală și merg de minune împreună. O vinegretă cu gust specific de muștar oferă un bine-venit contrast acestui platou.

4 PORȚII

12 scoici Saint-Jacques mari, spălate
2 linguri de ulei de măsline
sare de mare și piper negru
zeamă de lămâie

Vinegretă de praz:

8 fire de praz medii, doar partea albă, tocate
125 ml ulei de măsline extravirgin
1 lingură de muștar de Dijon
1 linguriță de cidru sau oțet de vin alb
1 praf de zahăr pudră (opțional)

La sfârșit:

frunze de pătrunjel

Lăsați scoicile deoparte, la temperatura camerei, în timp ce pregătiți vinegreta de praz.

Tocați mărunt firele de praz albe, spălați-le bine, scurgeți-le și lăsați-le puțin să se usuce. Într-o cratiță lată de friptură, încingeți la foc potrivit 2 linguri de ulei de măsline extravirgin, adăugați prazul și câteva mirodenii. Lăsați-l la aburi 6–8 minute, amestecând din când în când, până se înmoaie, dar nu-și schimbă și culoarea.

Între timp, preparați vinegreta. Puneți într-un borcan cu capac restul de ulei de măsline extravirgin, muștarul, oțetul și un praf de sare și de piper. Puneți capacul și agitați bine, apoi gustați și mai asezonați după gust, dacă vi se pare necesar.

Când se înmoaie prazul, adăugați în cratiță câteva linguri de vinegretă și amestecați până când se acoperă perfect.

Acum încingeți uleiul de măsline într-o cratiță lată, apoi prăjiți scoicile la foc iute, urmând instrucțiunile de la paginile precedente. Puneți cu o lingură vinegreta cu praz pe platouri calde. Aranjați deasupra scoicile și turnați încă puțină vinegretă în jurul platoului (păstrați la frigider orice sos rămas și folosiți-l la salate). Garnisiți scoicile cu frunze de pătrunjel și serviți-le imediat.

Ton provensal

ADOR AROMELE DIN PROVENCE, îndeosebi abundența de legume și de verdețuri proaspete din multe preparate clasice. Acest fel de mâncare sănătos, gătit la cuptor, cu ton și cu legume mediteraneene, este ușor și aromat, dar trebuie să faceți rost de ton foarte proaspăt, mai ales dacă – la fel ca mine – consumați rar pește.

4 PORȚII

4 medalioane de ton proaspăt, fiecare de aproximativ 180 g și cu grosimea de 2 cm

2–3 linguri de ulei de măsline și încă puțin pentru asezonat

1 ceapă roșie, curățată și tocată

4 căței de usturoi, curățați și tocați mărunt

1 ardei gras, fără semințe și tocat

1 ardei roșu, fără semințe și tocat

sare de mare și piper negru

2 dovlecei courgette medii, tăiați felii mari

400 g de roșii la conservă, tocate

1 fir de cimbru

1 fir de rozmarin

50 g de măsline negre

1 lămâie tăiată felii subțiri

1 mână de frunze de busuioc tocate (opțional)

Preîncălziți cuptorul la 200ºC/180º F/treapta 6. Tranșați fileurile de ton, dacă este necesar, și lăsați-le deoparte.

Încingeți uleiul de măsline într-o cratiță lată. Adăugați ceapa, usturoiul și ardeii, puneți sare și piper și lăsați-le la foc domol 5–6 minute, până când încep să se înmoaie fără a-și schimba culoarea. Adăugați dovleceii courgette, amestecați bine și lăsați mâncarea pe foc încă 2–3 minute. Acum puneți roșiile tocate, cimbrul, rozmarinul și măslinele, amestecați-le bine și dați-le în clocot. Lăsați-le să fiarbă câteva minute, apoi mutați toată compoziția într-o cratiță mare, termorezistentă.

Frecați medalioanele de ton cu sare, piper și un strop de ulei de măsline. Așezați-le în straturi peste legume într-o tavă și puneți între ele câte o felie de lămâie. Presărați o cantitate generoasă de piper măcinat, apoi dați tava la cuptor. Lăsați-le la copt 8–10 minute, până când tonul este făcut pe jumătate – bucățile trebuie să fie ușor moi la apăsare. Dacă preferați carnea bine pătrunsă, lăsați-le la copt încă 5–10 minute, până capătă consistență.

Presărați deasupra busuiocul tocat, după gust, și serviți imediat. Este delicios consumat doar cu pâine țărănească bună sau cu cartofi sotați.

Pulpe de rață în suc propriu cu soté de cartofi

ACEASTĂ MÂNCARE TRADIȚIONALĂ ESTE ORIGINARĂ DIN PÉRIGORD, o regiune faimoasă pentru foie gras-ul de rață și de gâscă. Acolo, rața suculentă și fragedă în suc propriu se servește în mod tradițional cu salată și cu cartofi – fie trași în aceeași grăsime aromată în care a fost preparată rața, fie gratinați (o variantă mai dietetică). Un fel de mâncare consistent și delicios, pentru un adevărat răsfăț gastronomic.

4 PORȚII

Pulpe de rață în suc propriu:

4 pulpe de rață
sare gemă
1 mână de fire de cimbru
3 căței de usturoi, curățați și tăiați
2 frunze de dafin
2x350 g conserve de grăsime de rață
   sau de gâscă

Soté de cartofi:

500 g de cartofi Charlotte, de
   exemplu, curățați și tăiați
   pe din două
1 fir de rozmarin tocat mărunt
sare de mare și piper negru

Presărați sare gemă pe toată suprafața cărnii și lăsați-o o oră la temperatura camerei.

Preîncălziți cuptorul la 140ºC/120ºF/treapta 1. Spălați carnea de sare și ștergeți-o cu un prosop de bucătărie. Așezați pulpele într-o cratiță potrivită și adăugați cimbrul, usturoiul și frunzele de dafin. Topiți untura într-o cratiță, la foc mic. Când devine transparentă, turnați-o cu atenție peste pulpe, până la acoperirea completă.

Acoperiți cratița cu o folie de aluminiu și dați-o cu grijă la cuptor. Lăsați-o la foc mic aproximativ 2 ore, până când carnea devine foarte fragedă, asigurându-vă că pulpele rămân acoperite de grăsime. Rața este gata atunci când carnea se desprinde cu ușurință de pe os. Scoateți cratița din cuptor.

Dați cuptorul la 200ºC/180ºF/treapta 6. Scoateți din grăsime pulpele de rață gătite și puneți-le într-o cratiță cu partea cu piele în jos; păstrați grăsimea. Frigeți pulpele de rață în cuptorul încins, circa 15–20 minute, întorcându-le pe partea cealaltă. Pielea va deveni crocantă, iar carnea va rămâne fragedă.

Între timp, fierbeți 4–5 minute cartofii într-o cratiță cu apă fiartă și sărată, până când sunt pe jumătate gata. Puneți-i într-o strecurătoare, lăsați-i să se scurgă și să se usuce; astfel vor deveni crocanți. Puneți o tigaie neaderentă la foc domol și adăugați un strat subțire din grăsimea păstrată. Când grăsimea se încinge, adăugați cartofii și rozmarinul și asezonați-i bine. Lăsați tigaia la foc până când cartofii se colorează ușor, apoi întoarceți-i și sotați-i câteva minute până când se rumenesc, dar rămân pufoși pe dinăuntru.

Serviți copanele de rață cu soté de cartofi. Adăugați, după preferință, puțin muștar franțuzesc.

Bibilică înăbușită în cidru cu mere caramelizate

REGIUNEA NORMANDIEI ABUNDĂ DE PRODUSE MINUNATE, cum ar fi smântâna delicioasă, untul, merele și Calvados – toate formând ingredientele clasicului *poulet à la Normande*. De data aceasta, am înlocuit puiul cu bibilică, pentru că o găsesc mai aromată și mai potrivită cu sosul bogat și cremos.

4 PORȚII

2 bibilici, fiecare de aproximativ 800 g
sare de mare și piper negru
2–3 linguri de ulei de măsline
2 felii subțiri de bacon
300 ml de cidru
100 ml de Calvados sau coniac
250 ml de smântână
câteva fire de cimbru tocate
500 g de mere tari, acre
   (cam 3 bucăți)
30 g de unt
1–2 linguri de zahăr tos
zeamă de lămâie, după gust
30 g de nuci, măcinate mare
1 mână de pătrunjel tocat

Preîncălziți cuptorul la 200ºC/180ºF/treapta 6. Asezonați carnea cu sare și piper. Încingeți un strat subțire de ulei de măsline într-o cratiță lată, termorezistentă. Rumeniți carnea 2–3 minute pe fiecare parte, până se colorează uniform și așezați-o pe un platou atunci când este gata.

Adăugați feliile de bacon în cratiță și prăjiți-le până ce se rumenesc ușor. Turnați cantitatea de cidru și de Calvados, așteptați să dea în clocot și lăsați să fiarbă până când scade la o treime din cantitatea inițială. Adăugați smântâna și frunzele de cimbru.

Așezați din nou în cratiță bucățile de bibilică, puneți capacul și dați-le la cuptor. Lăsați carnea la înăbușit 30–40 de minute, până se pătrunde bine și se frăgezește; scoateți bucățile de piept după 20–25 de minute, să nu se ardă, și puneți-le înapoi în ultimele 5 minute de preparare, pentru a le reîncălzi.

Cu 15 minute înainte ca bibilica să fie gata, curățați merele, îndepărtați sâmburii și tăiați-le în inele groase. Topiți untul într-o tigaie mare. Presărați zahărul tos peste feliile de măr și prăjiți-le în unt 4–5 minute pe fiecare parte, până când se rumenesc.

Când bibilica este gata, așezați bucățile de carne pe un platou cald. Dacă vi se pare că sosul este prea subțire, fierbeți-l până când capătă consistența dorită. Asezonați cu sare, piper și puțină zeamă de lămâie. Așezați din nou bucățile de bibilică în sos și garnisiți-le cu merele caramelizate. Înainte de a servi preparatul, presărați deasupra alunele și pătrunjelul tocat.

Navarin de miel cu legume de primăvară

ACEASTĂ REȚETĂ RAFINATĂ ESTE O SPECIALITATE TRADIȚIONALĂ DE PAȘTE în Franța. Fileul de ceafă de miel fraged, înăbușit, și o varietate de legume de primăvară se contopesc în acest preparat ușor, foarte aromat. Platoul necesită ceva timp, însă nu este deloc greu de pregătit. Este important să rumeniți carnea bine și să folosiți supă de calitate.

4 PORȚII

16 napi tineri, tăiați
16 morcovi tineri, curățați
16 fire de praz tinere, tăiate
100 g de mazăre, decongelată
    (dacă a stat la congelator)
120 g de fasole mare, curățată
12 cepe mici sau cepe roșii noi,
    curățate
sare de mare și piper negru
800 g de file de ceafă de miel
20 g de făină albă
2 linguri de ulei de măsline
300 ml de vin roșu slab
    (de exemplu, Beaujolais)
2 cățéi de usturoi, curățați
    și tocați
1 frunză de dafin
3 fire de cimbru
3 fire de rozmarin
400 ml de supă de pui
50 g de unt rece, tăiat bucăți mici
1 lingură de zahăr tos
2 linguri de oțet balsamic
1 mână de frunze de tarhon

Pentru legume trebuie să aveți la îndemână un bol cu apă cu gheață și să dați în clocot o oală mare cu apă sărată. Lucrând în etape, scufundați napii în apă fiartă 3 minute, apoi dați-i prin apa cu gheață pentru a-i împrospăta și scoateți-i cu o paletă. Când se răcesc, lăsați-i pe un platou. Repetați procesul cu restul de legume, fierbând morcovii 4 minute, prazul 5 minute, mazărea și fasolea mare 1 minut și, la sfârșit, ceapa, 8–10 minute.

Tăiați carnea de miel în bucăți de 3–3,5 cm, pudrați bucățile cu făină și adăugați din belșug sare și piper. Încingeți uleiul de măsline într-o caserolă termo-rezistentă sau într-o cratiță lată, cu fund gros, și prăjiți în tranșe bucățile de miel, dacă este necesar, până când se rumenesc uniform. Puneți carnea într-o strecurătoare așezată deasupra unui bol, pentru a-i păstra zeama.

Puneți din nou cratița pe foc și adăugați vinul, usturoiul, frunza de dafin, cimbrul și rozmarinul. Lăsați să fiarbă bine, până când lichidul scade și devine un sirop lipicios, apoi turnați supa. Așezați din nou carnea de miel în cratiță, împreună cu toată zeama de miel strânsă în bol. Așteptați să ajungă la punctul de fierbere și îndepărtați grăsimea în exces. Micșorați flacăra și lăsați cratița la foc mic aproximativ 2 ore, îndepărtând din când în când spuma.

Când carnea de miel este pătrunsă, scoateți-o cu o paletă și așezați-o pe un platou. Măriți flacăra și așteptați ca sosul să scadă și să capete consistență. Acum adăugați untul, bucată cu bucată. Asezonați bine cu sare și piper, după gust, adăugând puțin zahăr și oțet balsamic pentru dulceață și aciditate.

Puneți din nou carnea de miel în sos și adăugați legumele înăbușite. Lăsați cratița la foc mic și reîncălziți mâncarea 4–5 minute. Împărțiți navarinul în boluri calde și presărați pe deasupra frunzele de tarhon. Serviți pe loc.

Sufleu de **lămâie**

NU ESTE DELOC GREU SĂ FACI UN SUFLEU și sunt hotărât să vă dovedesc acest lucru! Îi rog pe cei care nu se încumetă, de obicei, să prepare sufleuri să dea o șansă acestei rețete. Secretul stă în a pregăti o bază groasă de sufleu și a amesteca în mod adecvat albușurile până când devin ferme și lucioase. De asemenea, este important să vă abțineți să deschideți cuptorul înainte ca sufleul să fie gata, altfel, s-ar putea să nu vă iasă.

4 PORȚII

40 g de unt nesărat moale
100 g de zahăr tos și încă puțin pentru a presăra pe deasupra
150 ml de lapte integral
100 ml de smântână dulce
3 gălbenușuri mari
15 g de făină albă
10 g de făină de porumb
4 albușuri mari
zeama și coaja rasă fin de la 2 lămâi
zahăr pudră

Cu mișcări de jos în sus, ungeți cu untul moale 4 forme de sufleu (cu o capacitate de 250 ml), inclusiv marginile. Lăsați-le să se răcească timp de câteva minute, apoi ungeți-le cu încă un strat de unt. Presărați zahăr tos în fiecare formă, astfel încât să tapetați uniform baza și pereții. Îndepărtați orice cantitate în exces și lăsați formele la răcit cât este necesar.

Turnați laptele și smântâna într-o cratiță cu fund gros și lăsați-o pe foc până începe să fiarbă, apoi îndepărtați-o. Între timp, bateți într-un bol mare gălbenușurile cu 50 g de zahăr tos, până devin cremoase și mate. Amestecați făina de grâu și făina de porumb în compoziția cu gălbenuș până se omogenizează. Apoi adăugați treptat laptele cremos, amestecând continuu. Turnați compoziția înapoi în cratiță și amestecați continuu la foc mic, cu o lingură de lemn, 5 minute sau mai mult, până se înmoaie și devine destul de consistentă. Lăsați-o deoparte să se răcească. Preîncălziți cuptorul la 200ºC/180ºF/treapta 6.

Într-un bol mare și curat, bateți albușurile până se întăresc. Adăugați câteva picături de zeamă de lămâie, apoi amestecați din nou. Bateți treptat restul de zahăr, câte o lingură o dată, până obțineți un amestec dens.

Amestecați zeama și coaja de lămâie rasă în compoziția care constituie baza sufleului, apoi adăugați o treime din amestecul de albuș pentru a o subția. Cu o lingură mare de metal, adăugați cu grijă restul de albuș până se omogenizează.

Așezați cu o lingură amestecul în formele pregătite, umplându-le până la vârf, apoi loviți ușor suprafața, pentru a elimina bulele de aer. Nivelați ușor suprafața cu un cuțit cu lamă lată. Puneți formele pe tava de copt. Coaceți la temperatură medie 15–18 minute sau până când crește și se umflă ușor pe mijloc. Presărați deasupra zahăr pudră și serviți imediat.

Clătite cu ciocolată și cremă Chantilly

CLĂTITELE SUBȚIRI SUNT O SPECIALITATE A BRETANIEI. Clătitele au fost dintotdeauna pline de savoare: inițial, se preparau cu făină de hrișcă măcinată în casă, însă, în timp, rețetele dulci au devenit mai populare. Versiunea mea de clătite cu ciocolată și frișcă și sirop de ciocolată pe deasupra este cât se poate de consistentă. Dacă nu aveți o tigaie specială pentru clătite, folosiți una lată, antiaderentă.

6–8 PORȚII

Clătite:

100 g de făină albă
25 g de pudră de cacao
1/4 linguriță de sare de mare fină
1 lingură de zahăr tos
2 ouă medii, bătute ușor
1 lingură de unt topit, plus câteva bucățele pentru prăjit
300 ml de lapte integral
1 linguriță de esență de vanilie

Cremă de ciocolată:

100 g de ciocolată neagră de calitate (aproximativ 70% cacao)
15 g de unt nesărat
1 1/2 linguri de miere
70 ml de lapte integral

Cremă Chantilly:

250 ml de smântână
2–3 linguri de zahăr pudră
1 linguriță de esență de vanilie

Pentru ornat:

4 linguri de fulgi de migdale sau migdale măcinate, ușor prăjite
coajă de portocală glasată (vedeți pag. 102), opțional

Pentru clătite, cerneți într-un bol făina, pudra de cacao și sarea și adăugați zahărul. Faceți o gaură în centru și puneți ouăle bătute, untul topit, laptele și esența de vanilie. Amestecați pentru a omogeniza ingredientele și a forma o compoziție moale, dar nu mai mult decât este necesar. Lăsați compoziția la temperatura camerei cel puțin 30 de minute.

Pentru siropul de ciocolată, rupeți tableta bucăți mici și puneți-o într-un bol termorezistent, apoi fierbeți la bain-marie. Adăugați untul și mierea și așteptați să se topească, amestecând din când în când. Luați bolul de pe foc și turnați treptat laptele, până când obțineți un sirop cremos. Acesta se poate încălzi înainte de a-l servi.

Pentru crema Chantilly, bateți smântâna dulce într-un bol, împreună cu zahărul pudră și esența de vanilie. Acoperiți și lăsați la răcit.

Pentru a prăji clătitele, puneți o tigaie antiaderentă la foc mic și adăugați o bucățică de unt. Când acesta s-a topit, înclinați tigaia astfel încât să îmbrăcați baza cu unt. Adăugați un polonic mic de compoziție, având grijă să acoperiți uniform fundul tigăii cu un strat subțire. Lăsați pe foc un minut și jumătate, până când clătita se rumenește bine pe dedesubt. Întoarceți-o pentru a o prăji și pe partea cealaltă. Transferați-o pe un platou cald și acoperiți-o cu un prosop de bucătărie pentru a o menține caldă. Așezați clătitele în straturi, cu o folie de hârtie-prosop între straturi.

Ungeți cu un strat de cremă Chantilly câte o jumătate de clătită și presărați câteva migdale prăjite. Împăturiți cealaltă jumătate de clătită simplă peste umplutură pentru a închide, apoi împăturiți din nou. Așezați câte o clătită umplută pe fiecare farfurie de servit și picurați deasupra sirop de ciocolată. Presărați câteva migdale prăjite și adăugați la sfârșit fâșii de coajă de portocală glasate.

Tartă cu **zmeură**

PRODUSELE DE PATISERIE ȘI DELICIOASELE TARTE din Franța nu contenesc să-i seducă pe turiști. Eu îmi aduc aminte de ele de fiecare dată când pregătesc această irezistibilă și apetisantă *tarte aux framboise*. Veți avea, probabil, mai mult aluat și mai multă cremă de vanilie decât vă trebuie (este mai practic să pregătiți o cantitate mai mare), dar din cantitatea rămasă se pot face niște minitarte.

8–10 PORȚII

Aluat dulce:

125 g de unt nesărat, topit
    la temperatura camerei
90 g de zahăr tos
1 ou mare
250 g de făină albă, plus
    o cantitate suplimentară
    pentru pudrat
1 lingură de apă foarte rece
    (dacă este necesar)

Cremă de vanilie:

250 ml de lapte integral
1/2 baton de vanilie, tăiat pe
    verticală, plus semințele
50 g de zahăr pudră
20 g de făină de porumb
3 gălbenușuri
100 ml de smântână grasă

Topping:

aproximativ 700 g de zmeură curățată
    (mai degrabă decât spălată)
2–3 linguri de gem de zmeură
    fără semințe, pentru glazură
1 lingură de apă fiartă (dacă este
    necesar)

Pentru a pregăti aluatul, amestecați untul cu zahărul până când se omogenizează. Adăugați oul și amestecați 30 de secunde. Puneți făina și mai amestecați câteva secunde, până obțineți o compoziție omogenă, turnând puțină apă dacă este necesar. Frământați ușor pe o suprafață tapetată cu făină. Formați un disc, înveliți-l în folie alimentară și lăsați-l la rece 30 de minute. Rulați aluatul pe o suprafață tapetată cu făină până capătă grosimea unei monede. Folosiți-l pentru a îmbrăca o formă de tartă de 23–25 cm, cu fund detașabil. Lăsați forma la rece cel puțin 30 de minute.

Pentru crema de vanilie, puneți într-un vas laptele, semințele și batonul de vanilie și 1 lingură de zahăr. Lăsați totul la foc domol până când laptele ajunge aproape să dea în clocot. Între timp, bateți într-un bol restul de zahăr, făina de porumb și gălbenușurile. Când laptele începe să fiarbă, turnați-l încet în compoziție, amestecând continuu. Clătiți vasul. Treceți amestecul printr-o sită fină înapoi în vas. Puneți din nou la foc mic, până când se formează o cremă groasă. Treceți crema printr-o sită într-un bol curat și lăsați-o să se răcească, amestecând din când în când, pentru a nu se forma crustă.

Preîncălziți cuptorul la 200ºC (cuptor electric)/treapta 6 (cuptor cu gaz). Tapetați o tavă cu hârtie de copt, puneți în ea forma de tartă și dați-o la cuptor 15–20 de minute. Scoateți hârtia și mai lăsați aluatul la cuptor 5 minute pentru ca acesta să se coacă și în partea inferioară. Lăsați-l să se răcească 10 minute, apoi scoateți-l și așezați-l pe un grătar.

Bateți smântâna până se întărește, apoi amestecați-o cu crema de vanilie. Lăsați totul la rece. Așezați un strat subțire de cremă de vanilie în forma cu aluatul. Aranjați zmeura deasupra. Încălziți puțin gemul de zmeură, subțiindu-l cu apă fiartă, dacă este necesar, apoi întindeți-l cu o pensulă peste fructe, pentru a le glazura. Ideal este ca tarta să fie consumată în aceeași zi, după ce a fost lăsată să se răcească.

BUCĂTĂRIA ITALIENEASCĂ

AM FOST SUFICIENT DE NOROCOS SĂ LUCREZ MULT
TIMP ÎN ITALIA, ÎNDEOSEBI ÎN TOSCANA ȘI ÎN
SARDINIA. ITALIENII SUNT FOARTE MÂNDRI ȘI
PASIONAȚI DE BUCĂTĂRIA LOR. MAI TOATE ORAȘELE
ȘI SATELE AU PROPRIILE TIPURI DE PASTE ȘI FIECARE
REȚETĂ ESTE PREPARATĂ SPECIAL PENTRU SOSUL
CU CARE SE CONSIDERĂ CĂ MERGE CEL MAI BINE.
DE ASEMENEA, EI AU VIZIUNI DIFERITE CU PRIVIRE
LA MODUL ÎN CARE TREBUIE CONSUMATĂ MÂNCAREA.
DACĂ FACEȚI GREȘEALA SĂ CEREȚI PARMEZAN PENTRU
UN PREPARAT DIN PASTE CARE CONȚINE PEȘTE,
VI SE VA EXPLICA LIMPEDE CĂ ACEST LUCRU ESTE
INADMISIBIL. PENTRU ITALIENI, MÂNCAREA ESTE
O TRADIȚIE CU CARE CREȘTI ȘI O PARTE IMPORTANTĂ
A VIEȚII, NU DOAR CEVA CARE TE MENȚINE ÎN VIAȚĂ.
EI AU ÎN SÂNGE ARTA CULINARĂ!

Dovlecei courgette
la grătar cu prosciutto

PERFECT CA APERITIV DE VARĂ sau ca alternativă la paste, acest preparat delicios este incredibil de simplu de gătit. Totuși, este necesar să folosiți dovlecei courgette proaspeți și o șuncă de calitate – ideală este prosciutto di San Daniele.

4 PORȚII

4 dovlecei mari
2 linguri de ulei de măsline
sare de mare și piper negru
200 g de prosciutto de calitate
2 linguri de muguri de pin prăjiți
1 mână de frunze de pătrunjel

Sos dulce-acrișor:
2 linguri de oțet de vin roșu
1–2 linguri de miere
zeama de la o jumătate de lămâie
6 linguri de ulei de măsline extravirgin
câteva fire de cimbru

Preparați mai întâi sosul dulce-acrișor. Amestecați într-un bol mic oțetul de vin roșu, o lingură de miere și cea mai mare parte din zeama de lămâie, apoi puneți treptat uleiul de măsline extravirgin. Adăugați frunzele de cimbru și asezonați cu sare și piper. Gustați și, dacă doriți, mai adăugați miere și zeamă de lămâie. Sosul trebuie să păstreze un echilibru perfect de dulce, sărat și acrișor.

Tăiați dovleceii courgette pe diagonală, felii groase de 1,5 cm. Așezați feliile într-un bol mare, adăugați uleiul de măsline, sarea și piperul și amestecați până când sosul format este bine întins peste dovlecei. Încingeți o tigaie-grill la foc mic, apoi frigeți feliile de dovlecei 3–4 minute pe fiecare parte, până se rumenesc și se înmoaie.

Aranjați pe farfurii feliile de prosciutto și de dovlecei. Turnați pe deasupra sosul dulce-acrișor și presărați frunzele de pătrunjel și mugurii de pin. Serviți preparatul cald sau la temperatura camerei.

Ciuperci de pădure pe mămăligă
la grătar cu brânză pecorino

ACEASTA ESTE REPLICA ITALIENEASCĂ a rețetei britanice de ciuperci pe pâine prăjită. Mămăliga la grătar este o bază excelentă pentru aromatele ciuperci sotate. Servit într-o porție generoasă și cu o salată verde alături, acest fel de mâncare este suficient de consistent pentru o masă de prânz în adevăratul sens al cuvântului. Aveți grijă să folosiți un amestec de ciuperci de pădure de calitate, atunci când este sezonul lor. În alte momente ale anului, folosiți ciuperci portabello sau mânătărci.

4 PORȚII

200 g de mălai

1,2 l de apă

sare de mare și piper negru

2 linguri de ulei de măsline,
   plus o cantitate suplimentară
   pentru uns

500 g de amestec de ciuperci
   de pădure, curățate

4 căței de usturoi, curățați și tăiați

25 g de unt

câteva fire de oregano

2–3 linguri de făină albă
   pentru pudrat

felii de brânză pecorino,
   pentru ornat

Preparați mai întâi mămăliga. Turnați apa într-o oală medie, sărați-o ușor și așteptați să dea în clocot. Adăugați treptat mălaiul într-un fir subțire și uniform, amestecând continuu timp de 5 minute, până când mămăliga se îngroașă și absoarbe toată apa. Când este gata, luați-o de pe foc, asezonați-o bine cu sare și piper și așezați-o într-o tavă unsă cu puțin ulei. Folosind o paletă, uniformizați mămăliga astfel încât să aibă o grosime de 2 cm. Lăsați-o 30 de minute să se răcească și să se așeze.

Înainte de a servi masa, tăiați pe din două toate ciupercile mari. Puneți la foc iute o tigaie mare. Când aceasta se încinge, puneți uleiul de măsline și ciupercile și căliți-le rapid, până când încep să se rumenească. Adăugați usturoiul și untul, sarea, piperul și jumătate din frunzele de oregano. Continuați să căliți ciupercile la foc iute până când se evaporă tot lichidul scurs din ele. Luați tigaia de pe foc, dar mențineți-o caldă.

Puneți la foc potrivit o tigaie-grill. Tăiați mămăliga în pătrate de 8–10 cm și presărați puțină făină, apoi ungeți grillul cu ulei de măsline. Frigeți feliile de mămăligă 2–3 minute pe fiecare parte, până când încep să se rumenească ușor. Dacă le pregătiți în tranșe, băgați-le la cuptor, la foc mic, pentru a se menține calde.

Așezați feliile de mămăligă la grătar pe platouri calde și puneți peste ele ciupercile sotate. Presărați deasupra felii subțiri de brânză pecorino și restul de frunze de oregano și serviți pe loc.

Cum se obțin
pastele ravioli

Așezați o foaie de aluat pe o suprafață curată, cu partea mai lată înspre dumneavoastră. Puneți grămăjoarele de umplutură cu lingurița de-a lungul unei jumătăți a foii (cea mai apropiată de dumneavoastră), lăsând aproximativ 2 cm între ele și o margine de 3 cm. Ungeți cu puțin ou zona din jurul umpluturii și restul foii de aluat. Îndoiți marginea pastelor deasupra umpluturii pentru a închide pernițele și apăsați aluatul în jurul lor pentru a le sigila și a îndepărta orice urmă de aer. Îndoiți din nou aluatul și presați cu degetul între pernițe. Cu un cuțit special pentru paste sau un cuțit ascuțit, separați grămăjoarele de umplutură pentru a forma pernițele ravioli. Păstrați-le acoperite cu un prosop de bucătărie curat până când le veți folosi la gătit.

Ravioli cu spanac, ricotta și muguri de pin, cu unt de salvie

RAVIOLI SUNT PASTE CU ADEVĂRAT SĂȚIOASE ȘI AMUZANT DE PREPARAT – mai ales dacă îi convingeți și pe alții să participe. În Italia, acest lucru se întâmplă în mod constant, femeile fiind, de regulă, cele care fac controlul calității. Rețeta de mai jos necesită suficientă umplutură pentru aproximativ 20 de ravioli. Dacă rămâne aluat nefolosit, îl puteți rula din nou în foi subțiri, tăindu-l apoi în fâșii late, pentru a pregăti pappardelle sau tagliatelle.

4–5 PORȚII

Aluat de paste:
câteva fire de șofran
1 lingură de apă fiartă
550 g de făină italiană „00"
1/4 de linguriță de sare de mare fină
4 ouă medii și 6 gălbenușuri
2 linguri de ulei de măsline

Umplutură:
2 linguri de ulei de măsline
2 căței de usturoi, curățați și tocați mărunt
500 g de frunze de spanac
15 g de unt
1/4 de linguriță de nucșoară proaspăt măcinată
sare de mare și piper negru
150 g de brânză ricotta
75 g de parmezan proaspăt ras
75 g de muguri de pin, prăjiți ușor
zeamă de lămâie după gust
1 ou bătut, pentru uns

Unt de salvie:
75 g de unt nesărat, tăiat cubulețe
2 linguri de smântână
6 fire de salvie

Pentru ornat:
parmezan

Pentru paste, sfărâmați ușor șofranul într-un bol, turnați apa fiartă și lăsați-l la infuzat până când se răcește. Puneți restul ingredientelor într-un mixer, adăugați apa cu șofran și amestecați până obțineți o compoziție neomogenă. Puneți aluatul într-un bol și formați o minge cu mâinile. Dați-l prin făină, pe o suprafață curată, și frământați-l până când se omogenizează. Aluatul trebuie să fie moale, dar nu lipicios; dacă vi se pare prea umed, mai frământați-l cu puțină făină. Împachetați-l în folie alimentară și lăsați-l să se răcească 30 de minute.

Pentru a prepara umplutura, încingeți uleiul de măsline într-o tigaie mare și rumeniți ușor usturoiul. Adăugați spanacul și lăsați-l 2–3 minute, până scade zeama. Măriți ușor flacăra și adăugați untul, nucșoara, sarea și piperul. Scurgeți spanacul și tocați-l mare. Într-un bol încăpător, bateți ricotta, parmezanul și mugurii de pin prăjiți. Adăugați spanacul și un strop de zeamă de lămâie. Apoi acoperiți-l și lăsați-l la răcit cel puțin 30 de minute. Tăiați aluatul în 8 bucăți și rulați-l în mingi. Cu ajutorul unei mașini de făcut paste, transformați fiecare minge într-o foaie lungă, cu dimensiunea de aproximativ 80 x 13 cm, rulând-o în mod repetat și îngustând-o tot mai mult, până când ajungeți la cea mai subțire formă posibilă. Acoperiți foaia de aluat cu un prosop de bucătărie umed. Pentru a forma pastele ravioli, revedeți pagina precedentă.

Pentru pregătirea untului de salvie, topiți untul într-o tigaie și încingeți-l până când începe să se rumenească. Luați tigaia de pe foc și lăsați-o să stea 1 minut, apoi strecurați-l printr-o sită fină într-o altă tigaie curată. Încingeți-l la foc mic, apoi amestecați-l cu smântâna și cu salvia.

Puneți la fiert o oală mare cu apă sărată, adăugați pastele ravioli și lăsați-le să fiarbă 2–3 minute. Scurgeți-le bine și amestecați-le cu untul de salvie. Radeți deasupra puțin parmezan și serviți imediat.

5 feluri de a face pizza

Aluaturi de **pizza**

Cu un mixer pentru aluat, amestecați 500 g de făină albă cu 7 g de drojdie uscată, 1 linguriță de sare de mare fină și 100 ml de apă caldă. Adăugați treptat mai multă apă (până la 150 ml), până când aluatul devine omogen. Amestecați-l în mixer 1 minut, apoi frământați-l ușor pe o suprafață tapetată cu făină, până devine moale și elastic. Transferați-l într-un bol uns cu ulei, acoperiți-l cu folie alimentară și lăsați-l să crească într-un loc cald până își dublează volumul. Frământați-l puțin pe o suprafață tapetată cu făină, apoi împărțiți-l în două și rulați fiecare jumătate într-un cerc de 20 cm. Puneți aluatul pe o tavă de copt unsă cu puțin ulei. **2 PORȚII**

Sosul de **roșii**

Într-o tigaie medie, încingeți 2 linguri de ulei de măsline și căliți la foc mic 2 căței de usturoi tăiați mărunt și o ceapă tocată mărunt, până când se înmoaie. Adăugați o conservă de roșii cuburi de 400 g, 100 g de roșii cherry tocate și 1 linguriță de pastă de tomate. Fierbeți sosul la foc mic timp de 40 de minute sau până când scade și se îngroașă.

Pizza **Margherita**

Încingeți cuptorul la 220°C (cuptor electric)/treapta 7 (cuptor cu gaz). Ungeți suprafața aluatului cu sosul de roșii (vedeți pagina din stânga), puneți deasupra 250 g de mozarella feliată fin și presărați câteva frunze de busuioc. Asezonați bine și picurați puțin ulei de măsline. Lăsați pizza la cuptor 15–20 de minute, până când se rumenește crusta. 2 PORȚII

Pizza cu **șuncă de Parma** și **anghinare** marinată

Încingeți cuptorul la 220°C (cuptor electric)/treapta 7 (cuptor cu gaz). Topiți 20 g de unt într-o tigaie și adăugați 400 g de roșii prunișoare tăiate în sferturi, un ardei roșu tăiat cubulețe, 1 mână de frunze de oregano tocate, o linguriță de zahăr, sare și piper. Lăsați totul pe foc 5–7 minute, apoi adăugați o linguriță de oțet de vin roșu. Așteptați până se răcește. Întindeți sosul peste aluatul de pizza și puneți deasupra 6–8 anghinare marinate, feliate fin, câteva felii de șuncă de Parma și 1 mână de măsline negre. Picurați puțin ulei de măsline și asezonați cu sare și piper. Lăsați pizza la cuptor 15–20 de minute, până se rumenește crusta. Serviți-o cu parmezan ras și cu frunze de rucola rupte. 2 PORȚII

Pizza bianca cu **patru feluri de brânză**

Încingeți cuptorul la 180°C (cuptor electric)/treapta 4 (cuptor cu gaz). Puneți 8 căței de usturoi necurățați într-un vas termorezistent. Picurați ulei de măsline, asezonați și lăsați să se călească 20–25 minute, până când se înmoaie. Mutați cățeii de usturoi înmuiați, fără coajă, într-un bol și pasați-i, împreună cu o lingură de rozmarin tocat mărunt, 3–4 linguri de ulei de trufe (sau ulei de măsline de calitate), sare și piper. Măriți flacăra cuptorului la 220°C (cuptor electric)/treapta 7 (cuptor cu gaz). Ungeți aluaturile de pizza cu un strat subțire de sos de usturoi și presărați pe deasupra fiecăruia, din belșug, parmezan proaspăt ras, brânză de capră, gorgonzola și câteva felii de mozarella. Lăsați pizza la cuptor 15–20 de minute, până se rumenește crusta. 2 PORȚII

Pizza cu **roșii** coapte și **ciuperci**

Încingeți cuptorul la 180°C (cuptor electric)/treapta 4 (cuptor cu gaz). Puneți 350–400 g de roșii cherry într-o tavă, adăugați 2 linguri de ulei de măsline și asezonați cu sare și piper. Coaceți 8–10 minute, până când roșiile se înmoaie, fără a se deforma; scoateți tava și lăsați-o deoparte. Măriți flacăra cuptorului la 220°C (cuptor electric)/treapta 7 (cuptor cu gaz). Topiți 20 g de unt într-o tigaie și sotați 200 g de ciuperci tăiate cu o linguriță de frunze de cimbru tocate, la foc moale, timp de 4–6 minute, până când se înmoaie și zeama lăsată de ciuperci scade. Lăsați la răcit. Ungeți aluatul de pizza cu sos de roșii (vedeți pagina din stânga). Așezați deasupra ciupercile sotate, 120 g de brânză de capră, 125 g de mozarella feliată fin și roșiile cherry coapte. Stropiți cu ulei de măsline și adăugați sare și piper. Lăsați pizza la cuptor 15–20 de minute, până când se rumenește crusta. 2 PORȚII

Mini**pizza** cu **salami** și **ardei copt**

Încingeți cuptorul la 220°C (cuptor electric/treapta 7 (cuptor cu gaz). Amestecați într-un mixer jumătate de borcan de 350 g de ardei copți cu 2 căței de usturoi, 50 g de parmezan proaspăt ras, 35 g de muguri de pin prăjiți, 1 mână de frunze de busuioc, 100 ml de ulei de măsline extravirgin, sare și piper, până obțineți o pastă. Folosindu-vă de un cuțit de 6 cm pentru paste, tăiați aluatul de pizza în bucăți rotunde. Ungeți fiecare bucată cu puțină pastă de ardei, apoi așezați deasupra restul de ardei copți (din borcan) și o felie de salami picant. Presărați parmezan și coaceți 12–15 minute, până când capătă o crustă aurie. 14 PORȚII

Risotto cu **fructe de mare**

UN OREZ DE CALITATE ȘI O SUPĂ GUSTOASĂ sunt esențiale pentru a prepara un risotto delicios. Pentru acestă rețetă, am îmbunătățit aroma supei de pește cu zeama dintr-o oală cu midii preparate la aburi. Midiile sunt scoase din cochilie și adăugate la sfârșit în orez. În ceea ce privește fructele de mare, m-am limitat la un trio format din midii, caracatiță și creveți, dar sunteți liberi să serviți acest risotto cu un file de John Dory prăjit la foc iute, cu barbun sau cu plătică.

6–8 PORȚII

300 g de midii vii, curățate
    și fără „bărbi"
200 ml de apă
300 ml de vin alb sec
800 ml de supă de pește
    sau de pui
câteva fire de șofran
2 linguri de ulei de măsline
40 g de unt
1 bulb mic de fenicul, curățat
    și tocat mărunt
1 ceapă roșie, curățată
    și tocată mărunt
1 cățel de usturoi, curățat
    și tocat fin
350 g de orez pentru risotto
    (de exemplu Arborio, Carnaroli
    sau Vialone Nano)
300 g de creveți cruzi, curățați
200 g de caracatiță tânără, curățată
    și tăiată felii
coaja rasă fin de la 1 lămâie
sare de mare și piper negru
1 mână de frunze de pătrunjel tocate

Examinați midiile, îndepărtându-le pe cele sparte sau deschise. Turnați apa și 200 ml de vin într-o oală, puneți-o la foc mare și așteptați să dea în clocot. Adăugați midiile și acoperiți oala cu un capac etanș. Lăsați-o pe foc 2–3 minute, până când se deschid midiile. Scurgeți-le într-o strecurătoare așezată deasupra unei cratițe, pentru a strânge zeama. Scoateți carnea din cochilii și lăsați-o deoparte, îndepărtând cochiliile rămase închise. Adăugați în zeama de la midii supa și firele de șofran și lăsați-le la foc mic.

Între timp, încingeți într-o tigaie uleiul de măsline și jumătate din cantitatea de unt. Adăugați feniculul, cepele roșii și usturoiul și căliți-le până se înmoaie, fără a se rumeni însă, aproximativ 6–8 minute. Puneți orezul în tigaie, amestecați bine și lăsați tigaia pe foc 2 minute, până când orezul începe să devină translucid. Turnați restul de vin și lăsați-l să clocotească până scade. Continuați să adăugați supa, câte o lingură o dată, până când orezul devine cremos și ușor picant. (S-ar putea să nu fie necesar să turnați toată supa.)

Amestecați creveții și caracatița în risotto și lăsați-le la foc mic 2 minute, până când se pătrund suficient, adăugând midiile în ultimul minut. La sfârșit, puneți coaja de lămâie rasă și restul de unt și verificați dacă mai trebuie sare și piper. Luați tigaia de pe foc și lăsați-o deoparte câteva minute.

Împărțiți risotto în boluri calde și presărați deasupra pătrunjelul tocat. Serviți imediat.

Cartofi noi copți cu **barbun umplut**

IATĂ O MODALITATE EXCELENTĂ DE A SAVURA BARBUNUL, un pește bine-cunoscut al Mediteranei. Curățați peștele de solzi, eviscerați-l, spălați-l și lăsați coada intactă. Astfel veți putea umple fiecare pește cu delicioasa pastă de măsline negre și anșoa. În funcție de dimensiunea peștelui, este posibil să vă rămână din cantitatea de pastă – păstrați-o la frigider într-un borcan și folosiți-o pentru a da aromă altor platouri cu pește sau cu pui.

4 PORȚII

4 barbuni eviscerați, fiecare de aproximativ 500 g
200 g de măsline negre fără sâmburi
4 fileuri de anșoa scurse de ulei
60 g de roșii uscate la soare
2 căței de usturoi, curățați și tocați mare
5 linguri de ulei de măsline și încă puțin pentru uns
sare de mare și piper negru

Cartofi copți:

1 kg de cartofi noi mici, tăiați pe din două
2 lămâi, tăiate pe din două și apoi în sferturi
câteva fire de rozmarin
6 căței de usturoi cu coajă
3 linguri de ulei de măsline

Coaceți mai întâi cartofii noi. Preîncălziți cuptorul la 200ºC (cuptor electric)/treapta 6 (cuptor cu gaz). Într-o tavă mare, puneți cartofii, bucățile de lămâie, rozmarinul, usturoiul și uleiul de măsline. Asezonați cu sare și piper și amestecați bine. Dați tava la cuptor aproximativ o oră, până când cartofii devin crocanți pe dinafară și moi și pufoși pe dinăuntru.

Cu aproximativ 20 de minute înainte să fie gata cartofii, scurgeți bine peștele și uscați-l. Puneți într-un blender măslinele, anșoa, roșiile uscate, usturoiul și 2 linguri de ulei de măsline și amestecați până obțineți o pastă.

Umpleți bucățile de pește cu o cantitate consistentă de pastă de anșoa și de măsline, apoi ungeți suprafața peștelui cu restul de ulei de măsline și asezonați cu sare și piper. Așezați peștele într-o tavă unsă cu ulei și lăsați-l la cuptor 15–20 de minute, în funcție de grosime, până se pătrunde bine – carnea trebuie să rămână tare la o apăsare ușoară.

Împărțiți cartofii copți pe platouri calde, iar lângă ei așezați câte un barbun umplut. Serviți cu o salată verde ușoară.

Pappardelle cu ragù de iepure

REGIUNEA EMILIA-ROMAGNA OFERĂ unele dintre cele mai bune preparate culinare italienești, inclusiv acest minunat și delicios platou de iepure. Pentru această rețetă, eu folosesc iepure de casă, care are carnea mai fragedă, însă puteți găti și iepure de câmp, dacă vă place carnea lui tare și aromată, lăsându-l să fiarbă înăbușit cu 15–20 de minute mai mult. Trebuie să cumpărați pappardelle proaspete de la un magazin italienesc bun – sau, desigur, să le preparați în casă. Dacă nu, folosiți paste bine uscate.

4 PORȚII

3 linguri de ulei de măsline
1 iepure de casă, tăiat în 8 bucăți
sare de mare și piper negru
3 căței de usturoi, curățați și tocați
2 cepe, curățate și tocate
1 bulb de fenicul, curățat și tocat
1 morcov, curățat și tocat
75 g de pancetta, tăiată cubulețe
1 lingură de ienibahar, sfărâmat ușor
2 fire de rozmarin tocate mărunt
2 fire de cimbru
250 ml de vin roșu
2 linguri de pastă de tomate
300 ml de supă de pui
1 lingură de muștar franțuzesc
500 g de pappardelle sau tagliatelle
    proaspete
1 mână de pătrunjel, tocat mare
parmezan proaspăt ras

Încingeți uleiul de măsline într-o cratiță mare și lată, cu baza groasă. Asezonați bucățile de iepure cu sare și piper și prăjiți-le 2 minute pe fiecare parte, până se rumenesc. Folosind o paletă, scoateți-le din cratiță și așezați-le pe un platou.

Adăugați în tigaie usturoiul, cepele, feniculul și morcovul. Prăjiți-le la foc mare 2–3 minute, până se înmoaie ușor, apoi adăugați pancetta și continuați să le prăjiți până se rumenesc, aproximativ 6–8 minute.

Adăugați ienibaharul, rozmarinul și cimbrul, apoi puneți din nou în tigaie bucățile de iepure rumenite. Puneți vinul și pasta de tomate și lăsați totul să clocotească până când lichidul scade la jumătate. Turnați supa, asezonați și puneți capacul. Lăsați cratița pe foc 20–30 de minute, până când carnea se frăgezește.

Scoateți bucățile de iepure și așezați-le pe un tocător. Când se răcesc, dezosați carnea și rupeți-o în bucăți mari. Dacă sosul este foarte subțire, lăsați-l să fiarbă la foc mic până se îngroașă și capătă o consistență ușor cremoasă. Așezați din nou carnea de iepure în sos și încălziți-o. Amestecați muștarul și adăugați sare și piper, după gust.

Când este aproape gata de servire, așezați pe foc o oală mare cu apă sărată. Adăugați pastele și lăsați-le să fiarbă câteva minute, al dente. Scurgeți-le bine și amestecați-le cu ragù de iepure, asigurându-vă că sunt bine acoperite de sos.

Împărțiți preparatul în platouri calde și puneți deasupra restul de ragù (dacă a rămas). Presărați câteva frunze de pătrunjel și serviți cu parmezan ras.

Osso buco cu dovleac copt și mămăligă moale

ÎNSEMNÂND LITERAL „GAURĂ ÎN OS", acest fel de mâncare clasic cu pulpă de vițel înăbușită este originar din Milano. Mulți insistă că versiunea inițială nu conține roșii și că acestea au fost incluse de-a lungul anilor, creând sosul maroniu distinctiv. Când cumpărați ingredientele, aveți grijă să alegeți carnea de vițel tăiată special pentru acest tip de mâncare.

4 PORȚII

4 bucăți mari de carne de vițel
  (cu os), cu o grosime de 4–5 cm
25 g de făină albă
sare de mare și piper negru
3 linguri de ulei de măsline
2 cepe, curățate și tocate
3 căței de usturoi, curățați
  și feliați
200 ml de vin alb sec
3 fire de cimbru
3 fire de rozmarin
1 frunză de dafin
225 ml de pastă de tomate
250 ml de supă de pui
1 mână de frunze de pătrunjel

Dovleac copt:

1 dovleac mare
2–3 linguri de ulei de măsline
2 căței de usturoi, curățați și feliați
2 fire de cimbru sau de rozmarin

Mămăligă moale:

100 g de mălai
750 ml de apă
20 g de unt
30 g de parmezan, proaspăt ras
1 lingură de mascarpone
zeamă de lămâie după gust

Preîncălziți cuptorul la 200ºC (cuptor electric)/treapta 6 (cuptor cu gaz). Așezați pe un tocător bucățile de carne de vițel. Asezonați făina cu sare și piper și folosiți-o pentru a pudra ușor carnea. Încingeți uleiul de măsline într-o cratiță mare, cu fund gros, sau într-un vas termorezistent și rumeniți bucățile de carne în tranșe, întorcându-le pentru a se prăji uniform.

Puneți ceapa în cratiță, căliți-o 2–3 minute la foc mic, apoi adăugați usturoiul. Lăsați-le pe foc până când ceapa se rumenește ușor, apoi turnați vinul și adăugați cimbrul, rozmarinul și frunza de dafin. Lăsați-le să clocotească până când lichidul scade la două treimi. Amestecați pasta de tomate, puneți sare și piper și lăsați să fiarbă 2–3 minute. Turnați supa, acoperiți cu un capac și dați la cuptor 1 1/2 ore, întorcând din când în când carnea.

Cât timp carnea este la cuptor, curățați dovleacul și îndepărtați-i semințele, apoi tăiați-l în bucăți mici. Așezați-l într-un bol mare, împreună cu uleiul de măsline, usturoiul, cimbrul sau rozmarinul și asezonați cu sare și piper. Amestecați bine, apoi mutați toată compoziția într-o tavă. După 50 de minute de când preparatul se află la cuptor, introduceți și tava cu dovleac și lăsați-o aproximativ 40 de minute, până când este gata.

Între timp, preparați mămăliga. Turnați apa într-o oală mare, adăugați un praf de sare și așteptați să dea în clocot. Amestecați încet cu un tel timp de aproximativ 5 minute, până când se îngroașă și absoarbe toată apa. Luați-o de pe foc și adăugați untul, parmezanul, brânza mascarpone și zeama de lămâie, după gust. Asezonați cu piper și cu încă puțină sare, dacă este necesar. Mențineți-o caldă până când este gata masa.

Scoateți cimbrul, rozmarinul și frunza de dafin din osso buco. Turnați mămăliga pe platouri calde și așezați deasupra preparatul. La sfârșit, presărați pătrunjel și serviți cu dovleac copt.

Piersici caramelizate
cu **vin santo**

ÎN ITALIA, PIERSICILE SUNT ASOCIATE ADESEA CU VINUL – eu, unul, sunt un mare amator de Bellini (cocktail de piersici și vin spumant). Îmi plac totodată piersicile la cuptor, cu o umplutură tradițională de migdale și servite cu zabaglione, preparat cu prosecco. Iată o modalitate foarte simplă de a transforma piersicile coapte într-un desert delicios. Dacă nu aveți vin santo, folosiți Marsala dulce sau o picătură de lichior amaretto, care vă este mai la îndemână.

4 PORȚII

100 g de zahăr granulat sau tos

3 linguri de apă

1 baton de vanilie despicat

100 ml de vin santo

50 g de unt nesărat, moale

8 piersici tari, dar coapte, fără sâmburi
    și tăiate în sferturi

înghețată de vanilie, pentru ornat

Puneți la foc mic zahărul și apa, într-o cratiță cu fund gros (în care să încapă piersicile). Când zahărul s-a dizolvat, măriți flacăra și așteptați ca siropul să capete o nuanță maro-caramel. Luați cratița de pe foc. Adăugați semințele de vanilie și untul și turnați vin santo.

Puneți din nou cratița la foc mic și amestecați siropul până când se subțiază. Adăugați piersicile și lăsați-le pe foc câteva minute, până când se înmoaie ușor, fără a-și pierde însă forma. Luați cratița de pe foc.

Împărțiți piersicile și siropul în boluri și așezați deasupra fiecăruia câte o lingură mare de înghețată de vanilie foarte rece. Serviți imediat.

BUCĂTĂRIA ITALIENEASCĂ

Smochine rumenite cu Marsala și zabaglione

SMOCHINELE COAPTE ȘI ZEMOASE se transformă,
cu ajutorul acestei rețete simple, într-un desert rafinat. Ele capătă
un plus de dulceață și o aromă sofisticată datorită vinului de Marsala.

4 PORȚII

unt moale, pentru uns
8 smochine coapte
3 linguri de vin de Marsala
50 g de zahăr brun fin
coaja rasă și zeama de la
   o jumătate de portocală
1 pumn de fistic prăjit și tocat

Zabaglione:
4 gălbenușuri mari
60 g de zahăr pudră
coaja de la o lămâie, rasă fin
75 ml de vin de Marsala

Preîncălziți cuptorul la 150°C (cuptor electric)/treapta 2 (cuptor cu gaz).
Ungeți cu o cantitate suficientă de unt un vas termorezistent, nu prea adânc,
dar suficient de mare încât să încapă în el smochinele. Îndepărtați codițele,
apoi tăiați partea de sus a fiecăreia în zigzag și stoarceți ușor baza pentru
a deschide fructul. Așezați smochinele în vasul uns cu unt.

Într-un bol mic, amestecați Marsala, zahărul brun, zeama și coaja de
portocală. Cu o lingură, turnați amestecul peste smochine și dați-le la cuptor
10 minute. Scoateți vasul, ungeți smochinele cu siropul din vas, apoi dați-l
din nou la cuptor încă 5 minute.

Pentru a prepara zabaglione, puneți gălbenușurile și zahărul pudră într-un
bol mare termorezistent și fierbeți la bain-marie. Cu un mixer electric,
amestecați încet și constant ingredientele, până obțineți o cremă opacă și
groasă, având grijă să nu o ardeți. În acest moment, măriți viteza mixerului.
Adăugați coaja de lămâie, apoi turnați treptat vinul. Continuați să amestecați
încă 10 minute sau mai mult, până când preparatul devine dens și spumos.
Luați bolul de pe oală și lăsați zabaglione să se răcească, amestecând din
când în când.

Puneți preparatul cu o lingură peste smochinele coapte și presărați fistic
tocat. Serviți cald.

Tort cu ciocolată și amaretto

ACEST IREZISTIBIL TORT DE CIOCOLATĂ
are o consistență bogată, care se topește în gură.
Este un desert ideal pentru petreceri, deoarece
îl puteți pregăti din timp și lăsa la rece – nu uitați
totuși să îl scoateți din frigider cu aproximativ 30 de
minute înainte de servire, pentru a vă bucura din
plin de savoarea lui.

8 PORȚII

unt moale, pentru uns
350 g de ciocolată amăruie
    (aproximativ 60% cacao)
6 linguri de amaretto di Saronno
4 ouă mari, gălbenușurile separate
    de albușuri
50 g de biscuiți amaretti,
    pisați mărunt
200 g de zahăr tos
pudră de cacao, pentru
    a presăra pe deasupra
frișcă slabă sau mascarpone,
    pentru ornat

Preîncălziți cuptorul la 180ºC (cuptor electric)/treapta 4 (cuptor cu gaz).
Ungeți o formă de tort rotundă, de 20 cm, cu fund detașabil, și tapetați-o
cu hârtie pergament.

Rupeți ciocolata bucăți, puneți-o într-un bol termorezistent și așezați bolul
deasupra unei oale cu apă ce fierbe la foc mic. Când începe să se topească,
adăugați lichiorul. Când ciocolata s-a topit complet și a devenit cremoasă,
luați-o de pe foc și lăsați-o deoparte să se răcească.

Bateți gălbenușurile într-un bol mare, până când se omogenizează
și se îngroașă. Amestecați biscuiții amaretti în compoziție, apoi adăugați
gălbenușurile.

În alt bol curat, bateți albușurile cu un tel electric, până obțineți o spumă.
Acum adăugați zahărul tos, câte o lingură o dată, până când spuma devine
asemenea compoziției de bezele, lucioasă și solidă. Adăugați albușurile în
amestecul de ciocolată, în trei etape.

În forma pregătită, așezați cu o lingură amestecul și neteziți ușor suprafața.
Dați la cuptor 35–40 de minute, până când tortul a crescut și a căpătat
o crustă. Suprafața poate avea fisuri, însă partea dinăuntru trebuie să fie
omogenă și moale. Închideți cuptorul și lăsați tortul înăuntru, ca să se
răcească treptat, timp de cel puțin o oră.

Scoateți tortul din cuptor și lăsați-l să se răcească bine înainte de a-l scoate
din formă. Mutați-l pe un platou mare și pudrați-l cu cacao. Serviți-l tăiat
felii, cu frișcă slabă sau cu mascarpone.

BUCĂTĂRIA GRECEASCĂ

MÂNCAREA GRECEASCĂ ESTE ADESEA SUBESTIMATĂ, DEȘI POATE FI DE-A DREPTUL DELICIOASĂ. ÎN ESENȚĂ, EA ESTE SIMPLU DE PREPARAT ȘI CONȚINE ÎNDEOSEBI ALIMENTE LOCALE ȘI PEȘTE MARIN. MIRODENII PRECUM ROZMARINUL ȘI OREGANO CRESC PESTE TOT PE DEALURI ȘI SUNT ÎNTREBUINȚATE DIN ABUNDENȚĂ; ALBINELE CARE SE HRĂNESC CU POLEN FAC O MIERE DELICIOASĂ, FOLOSITĂ ȘI EA LA NUMEROASE PREPARATE. FETA ESTE BRÂNZA CEL MAI DES CONSUMATĂ; EU, UNUL, ADOR CONSISTENȚA EI SFĂRÂMICIOASĂ ȘI GUSTUL SĂRAT PE CARE ÎL DĂ PREPARATELOR. CEI MAI MULȚI CONSIDERĂ CĂ MUSACAUA ESTE PREPARATUL SPECIFIC BUCĂTĂRIEI GRECEȘTI, DE ACEEA AM ȘI INCLUS AICI O REȚETĂ, ÎNSĂ MÂNCAREA GRECEASCĂ ÎNSEAMNĂ MULT MAI MULT DECÂT ATÂT... ȘI SIGUR NU SE LIMITEAZĂ LA KEBAP.

Salată tarama
cu **pită** de casă

UN APERITIV NELIPSIT DIN MENIUL TIPIC GRECESC, salata tarama se găsește de cumpărat peste tot, însă cea din comerț – invariabil roz din cauza diverșilor coloranți alimentari – nu are deloc gustul rețetei originale. Salata tarama preparată în casă are un gust intens de icre de cod afumate, care poate fi redus prin ajustarea cantității de ulei de măsline. La restaurant, noi preparăm un sos care conține o cantitate considerabilă de ulei de măsline, pentru a obține o consistență moale, cremoasă – foarte asemănătoare cu o maioneză groasă.

6 PORȚII

2 1/2 felii groase de pâine albă,
   fără coajă
100 ml de lapte integral
200 g de icre de cod afumate
1 cățel de usturoi, curățat și tocat
zeama de la 1 1/2 lămâi
sare de mare și piper negru
275 ml de ulei de măsline
puțin lapte (dacă este necesar)
ulei de măsline extravirgin, pentru
   asezonat

Pită:

450 g de făină albă de grâu dur,
   plus încă puțin pentru tapetat
1 linguriță de sare de mare fină
2 pliculețe de 7 g de drojdie uscată
   cu acțiune rapidă
1 lingură de ulei de măsline
   extravirgin, plus o cantitate
   suplimentară pentru ungerea
   bolului
300 ml de apă călduță

Mai întâi, preparați aluatul de pită. Amestecați făina, sarea și drojdia într-un bol mare. Faceți o gaură pe mijloc și turnați uleiul de măsline și cea mai mare parte din cantitatea de apă. Amestecați până când compoziția se omogenizează și ia forma unei mingi, adăugând puțină apă, dacă este necesar, pentru a obține un aluat moale, dar nu lipicios. Așezați coca pe o suprafață tapetată cu făină și frământați-o 10 minute, până când se înmoaie. Puneți aluatul într-un bol curat, uns cu puțin ulei, acoperiți-l cu folie alimentară și lăsați-l să crească într-un loc cald, aproximativ 2 ore.

Pentru a prepara salata tarama, rupeți pâinea în bucăți mici, așezați-o într-un bol, turnați deasupra laptele și lăsați-o deoparte să se îmbibe. Curățați icrele de cod de eventualele pielițe, apoi puneți-le într-un mixer împreună cu usturoiul, zeama de lămâie și o cantitate suficientă de piper măcinat. Adăugați pâinea îmbibată în lapte și amestecați până obțineți o pastă moale. Fără să opriți mixerul, turnați treptat uleiul de măsline. Adăugați sare și piper, după gust, și încă puțin lapte dacă salata vi se pare prea uleioasă. Puneți compoziția într-un bol.

Când aluatul de pită și-a dublat volumul, frământați-l ușor timp de 1 minut pe o suprafață tapetată (dar nu prea mult) cu făină. Împărțiți aluatul în 12 bucăți egale și formați mingi. Lăsați-le într-un loc cald timp de 15 minute. Între timp, preîncălziți cuptorul la 200°C (cuptor electric)/treapta 6 (cuptor cu gaz) și puneți înăuntru la încins 2 tăvi de copt unse cu ulei. Rulați fiecare minge de aluat în forme ovale, groase de 2–3 mm. Mutați-le apoi pe tăvile de copt încinse și dați-le la cuptor 6–8 minute, până se umflă și se rumenesc.

Stropiți salata tarama cu puțin ulei de măsline extravirgin și serviți-o cu pită caldă.

Haloumi la grătar cu salată de vinete

HALOUMI ESTE O BRÂNZĂ CIPRIOTĂ, preparată tradițional dintr-un amestec de lapte de capră și lapte de oaie. Totuși, multe varietăți comerciale adaugă și lapte de vacă, rezultând astfel o brânză de calitate inferioară. Încercați să obțineți o haloumi autentică – gustul și consistența acesteia vor accentua savoarea delicioasei salate. Dacă vă rămâne sos de măsline, păstrați-l la frigider într-un borcan și folosiți-l pentru pește sau miel la grătar.

4 PORȚII

1 vânătă mare
sare de mare și piper negru
6 roșii-prunișoară, coapte
40 g de măsline Kalamata, fără sâmburi
1 legătură mică de mentă
ulei de măsline pentru uns
500 g de haloumi
2–3 linguri de făină albă

Sos de măsline:
75 g de măsline Kalamata, fără sâmburi
3 linguri de oțet de vin roșu
1 linguriță de oregano uscat
75 ml de ulei de măsline
75 ml de ulei de arahide

Tăiați vânăta felii subțiri. Puneți-o într-o strecurătoare, presărați puțină sare și lăsați-o 20 de minute. (Sarea va ajuta la îndepărtarea din vânătă a apei în exces.) Uscați-o cu hârtie-prosop.

Tăiați roșiile felii groase și puneți-le într-un bol mare, împreună cu măslinele și cu menta. Lăsați-le deoparte cât timp preparați sosul.

Pentru sos, puneți într-un blender măslinele, oțetul de vin și oregano uscat și amestecați până obțineți un piure moale. Apoi turnați treptat uleiul de măsline și uleiul de arahide și asezonați bine cu sare și piper, după gust. Puneți sosul într-un borcan și lăsați-l deoparte.

Cu aproximativ 15 minute înainte de servire, puneți o tigaie-grill la foc mare. Ungeți feliile de vânătă cu ulei de măsline și frigeți-le aproximativ 2 minute pe fiecare parte, până când se înmoaie și se ard ușor. Adăugați-le în bolul cu roșii, turnați puțin sos și amestecați bine.

Tăiați brânza haloumi felii subțiri și pudrați-o cu puțină făină. Frigeți feliile până când se rumenesc pe margini și încep să se topească.

Aranjați vânăta gratinată pe un platou mare și puneți deasupra brânza haloumi. Cu o lingură, turnați deasupra salata de măsline cu roșii și stropiți cu încă puțin sos de măsline. Serviți imediat, înainte ca preparatul să se răcească.

Supă de fasole albă și legume

CUNOSCUTĂ ÎN GRECIA DREPT FASOULADA, aceasta este o supă deosebit de sățioasă și de ieftină. Este foarte simplu de preparat – trebuie doar să nu uitați să puneți fasolea la înmuiat cu o noapte înainte și să o lăsați câteva ore să fiarbă la foc mic. Serviți-o la prânz, cu pâine de casă, ori ca aperitiv rustic, în boluri mici.

4–6 PORȚII

500 g de fasole albă uscată, de exemplu, fasole mare sau *fasolia gigantes* greceasă, ținută de cu seară în multă apă rece

3–4 linguri de ulei de măsline

2 morcovi, curățați și tocați mărunt

1 ceapă mare, curățată și tocată mărunt

2 tulpini de țelină, curățate și tocate mărunt

2 cățеi de usturoi, curățați și tocați mărunt

sare de mare și piper negru

6 roșii-prunișoară coapte, fără coajă și semințe, tocate mărunt

1 lingură de pastă de tomate

1 linguriță de oregano uscat

o mână de frunze de pătrunjel, tocate

Pentru a orna (opțional):
ulei de măsline extravirgin, pentru asezonat
brânză feta sfărâmată, la sfârșit

Scurgeți fasolea albă, puneți-o într-o oală mare și turnați deasupra apă rece până o acoperiți foarte bine. Puneți oala la foc moderat și luați spuma care se formează. Micșorați flacăra și lăsați să fiarbă la foc mic aproximativ o oră.

Încingeți uleiul de măsline într-o cratiță. Adăugați morcovii, ceapa, țelina, usturoiul, sarea și piperul. Lăsați la foc moderat 6–8 minute, amestecând constant, până când legumele încep să se înmoaie. Adăugați roșiile tocate, pasta de tomate și lingurița de oregano. Amestecați încă 1–2 minute pe foc, apoi vărsați conținutul în oala cu fasole.

Adăugați încă puțină apă dacă este necesar și fierbeți la foc mic 30–45 de minute, până când fasolea se înmoaie. Dacă supa devine prea groasă, diluați-o cu puțină apă fiartă.

La servire, turnați supa în boluri calde și presărați deasupra pătrunjel tocat. Dacă doriți, asezonați cu ulei de măsline și presărați deasupra puțină brânză sfărâmată. Serviți-o fierbinte.

Cum se frig sardinele

Sardinele la grătar au un gust de afumat deosebit, de aceea aleg să le prepar astfel de fiecare dată când am ocazia. Secretul unui grătar reușit este să vă asigurați că focul nu este prea puternic atunci când puneți carnea. Cărbunii trebuie să fie în spuză, dar să degaje căldură.

Sardine la grătar cu tzatziki

TZATZIKI POATE FI O FOARTE BUNĂ garnitură pentru sardine; se potrivesc perfect, deoarece aciditatea de la zeama de lămâie și iaurtul taie gustul de ulei de pește. Preparați-l cu o oră sau două înainte, pentru a permite eliberarea aromelor.

4–6 PORȚII

12 sardine foarte proaspete, curățate
de solzi și eviscerate
ulei de măsline, pentru asezonat
sare de mare și piper negru

Tzatziki:
1 castravete
2 căței de usturoi, curățați și pisați
350 g de iaurt grecesc
zeama de la jumătate de lămâie
(sau după gust)
2 linguri de ulei de măsline
extravirgin

Pentru ornat:
încă puțin ulei de măsline,
pentru a picura pe deasupra
1 mână de frunze de mentă, tocate

Pentru a prepara sosul tzatziki, curățați castravetele de coajă, tăiați-l în două pe lung și îndepărtați-i semințele. Radeți bucățile pe răzătoarea mare, presărați o linguriță de sare și puneți-le într-o sită deasupra unui bol. Lăsați-le să se scurgă o oră sau mai mult, apoi stoarceți în pumn cât de bine puteți.

Amestecați într-un bol castravetele ras, usturoiul, iaurtul, zeama de lămâie și uleiul de măsline. Adăugați sare și piper după gust, apoi acoperiți sosul rezultat și puneți-l la frigider.

Încingeți grătarul și așteptați să se facă jar mocnit. Dacă gătiți în bucătărie, încingeți o tigaie-grill. Spălați și uscați sardinele cu hârtie-prosop, apoi frecați-le pe toată suprafața cu puțin ulei de măsline, cu un praf de sare și cu piper. Puneți sardinele pe grătar (sau în tigaia-grill) și lăsați-le aproximativ 3 minute pe fiecare parte, până când se rumenesc bine de tot și carnea se desprinde ușor de pe oase.

Așezați sardinele în straturi pe un platou, alături de tzatziki. La sfârșit, adăugați o picătură de ulei de măsline extravirgin și presărați puțină mentă tocată.

Calmar umplut cu orez, roșii și verdețuri

ACESTA ESTE UN PREPARAT SIMPLU ȘI FOARTE GUSTOS. Calmarii tineri sunt umpluți cu un amestec de orez, roșii, ceapă și verdețuri proaspete. Restul umpluturii se adaugă în cratiță, împreună cu calmarii. Pentru un gust ușor dulceag și un plus de consistență, adăugați un pumn de stafide și de muguri de pin în amestecul de orez. De asemenea, puteți adăuga în sos și câteva roșii tocate.

5 PORȚII

10 calmari tineri, curățați;
   tentaculele puse deoparte
ulei de măsline, pentru asezonat

Umplutură de orez:
2 linguri de ulei de măsline
1 ceapă roșie, curățată și tocată
   mărunt
2 căței de usturoi, curățați și tocați
   mărunt
100 ml de vin alb sec
300 g de orez alb cu bob lung
4 roșii-prunișoară, fără coajă
   și semințe, tăiate cubulețe
1 linguriță de zahăr tos
sare de mare și piper
850 ml de apă
1 mână de mentă tocată
1 mână de pătrunjel tocat,
   plus încă puțin pentru ornat

Preparați mai întâi umplutura. Încingeți uleiul de măsline într-o cratiță mare la foc moderat și adăugați ceapa și usturoiul. Căliți-le la foc mic 6–8 minute, până când se înmoaie, dar nu se rumenesc. Măriți ușor flacăra și turnați vinul. Lăsați-l să clocotească până când scade la jumătate, apoi adăugați orezul și lăsați-l să fiarbă un minut, amestecând continuu.

După aceea, adăugați roșiile, zahărul, un praf de sare și puțin piper. Turnați 600 ml de apă, apoi acoperiți cratița cu un capac și lăsați-o la foc mic 12–15 minute sau până când scade zeama, iar orezul s-a umflat. Luați cratița de pe foc și lăsați-o deoparte 5 minute. Amestecați orezul cu o furculiță și, când se răcește, adăugați menta și pătrunjelul tocate.

Preîncălziți cuptorul la 180ºC (cuptor electric)/treapta 4 (cuptor cu gaz). Umpleți cu atenție calmarii cu amestecul de orez și străpungeți-i cu o scobitoare și prindeți-i, ca să nu iasă umplutura. Așezați calmarii umpluți într-un vas termorezistent.

Adăugați în vas tentaculele și umplutura de orez rămasă și turnați deasupra restul de 250 ml de apă. Stropiți cu ulei de măsline. Dați vasul la cuptor, timp de 30–35 de minute, până când carnea se frăgezește și se pătrunde bine. La final, presărați deasupra puțin pătrunjel verde tocat.

Musaca de vinete

ÎN VARIANTA PROPUSĂ DE MINE pentru acest fel de mâncare popular, feliile de vinete, carnea tocată și sosul de brânză se pun straturi-straturi, iar deasupra – un strat de brânză rasă, așa cum se face la lasagna. Chiar dacă nu face parte din rețeta tradițională, brânza Cheddar rasă dă musacalei un plus de savoare.

4 PORȚII

3–4 linguri de ulei de măsline, plus o cantitate suplimentară pentru uns

3 cepe mari, curățate și tocate mărunt

4 căței de usturoi, curățați și tocați mărunt

1 kg de carne de miel tocată

sare de mare și piper negru

200 ml de vin roșu

4 linguri de pastă de tomate

2 cutii a 400 g de roșii-prunișoară la conservă

2 batoane de scorțișoară

1/2 de linguriță de amestec de mirodenii picante

1 mână de oregano proaspăt, tocat mărunt

2 vinete mari

Sos de brânză:

75 g de unt

75 g de făină albă

600 ml de lapte integral

150 g de brânză Cheddar, rasă

2 ouă bătute

Încingeți uleiul de măsline la foc potrivit, într-o cratiță mare. Adăugați ceapa și usturoiul și căliți-le până când se înmoaie și se rumenesc ușor. Măriți ușor flacăra, adăugați carnea, sare și piper și căliți totul, amestecând până când carnea se rumenește uniform. Turnați vinul și lăsați-l să clocotească până când se evaporă aproape în întregime, apoi adăugați pasta de tomate, roșiile, scorțișoara, mirodeniile picante și oregano. Lăsați-le să fiarbă la foc mic 30–35 de minute, amestecând din când în când.

Între timp, tăiați vinetele rondele groase de 1,5–2 cm. Ungeți-le cu o cantitate suficientă de ulei de măsline și presărați un praf de sare și puțin piper. Puneți-le într-o tigaie la foc mare și prăjiți-le pe rând, aproximativ 2 minute pe fiecare parte, până când se rumenesc ușor.

Preîncălziți cuptorul la 200ºC (cuptor electric)/treapta 6 (cuptor cu gaz). Pentru a prepara sosul, topiți untul într-o tigaie antiaderentă, adăugați făina și amestecați cu o lingură de lemn 1–2 minute. Micșorați flacăra și adăugați treptat laptele. Lăsați la foc mic 8–10 minute, apoi amestecați 100 g de brânză și câteva mirodenii. Luați tigaia de pe foc, lăsați-o să se răcească, apoi bateți ouăle.

Aranjați un strat de felii de vinete într-o cratiță termorezistentă de 2 litri. Scoateți batoanele de scorțișoară, apoi puneți peste stratul de vinete jumătate din cantitatea de carne și turnați o treime din sosul de brânză. Repetați aceste straturi, apoi acoperiți cu alt strat de felii de vinete, turnați restul de carne deasupra și presărați brânza rămasă. Dați musacaua la cuptor 35–45 de minute, până când partea de sus devine rumenă. Lăsați-o să stea 5 minute sau chiar mai mult, înainte de servire.

Cotlete de miel
cu sos avgolemono

DACĂ MARINAȚI COTLETELE DE MIEL ÎNTR-O VINEGRETĂ cu oregano și usturoi înainte de a le pune pe grătar, acestea capătă un gust fantastic – sosul avgolemono taie din gustul sățios al cărnii. Acest sos delicat se poate servi și cu legume sau cu alte cărnuri la grătar.

4–6 PORȚII

12 cotlete de miel, fiecare de aproximativ 180 g
150 ml de ulei de măsline
75 ml de oțet de vin roșu
2 lingurițe de oregano uscat
4 căței de usturoi, curățați și zdrobiți
sare de mare și piper negru

Sos avgolemono:
250 ml de supă de pui
3 gălbenușuri
zeama de la 2 lămâi
câteva fire de oregano tocate

Aranjați cotletele de miel într-un singur strat, într-un vas mare, termorezistent. Într-un bol, amestecați oregano, uleiul de măsline, oțetul de vin, usturoiul, puțină sare și piper. Turnați acest sos marinat peste cotletele de miel, pe ambele părți. Acoperiți tava cu folie alimentară și puneți-o la frigider la marinat 2–3 ore. Scoateți-o din frigider cu 30 de minute înainte de a prepara cotletele, pentru a le readuce la temperatura camerei.

Pentru a pregăti sosul avgolemono, fierbeți supa într-o oală, la foc mic. Cu un tel, bateți gălbenușurile într-un bol, până se omogenizează. Adăugați zeama de lămâie și continuați să bateți încă un minut. Turnați încet acest amestec în supa caldă. Fiți atenți să nu îl țineți prea mult pe foc, pentru că sosul se poate închega. Continuați să amestecați până când sosul se îngroașă, căpătând o consistență ușor cremoasă. Adăugați frunzele de oregano tocate. Luați oala de pe foc și asezonați după gust. Turnați sosul într-un vas cald de servit; păstrați-l cald.

Între timp, preîncălziți grătarul la foc iute. Scoateți folia de plastic și frigeți cotletele 15–20 de minute, în funcție de grosimea lor, întorcându-le pe ambele părți. Dacă vă place carnea în sânge, cotletele trebuie să rămână relativ tari la apăsat.

Serviți cotletele imediat, cu sos avgolemono și cu legumele dumneavoastră preferate.

Spanakopita

ACEASTĂ PLĂCINTĂ CU SPANAC ȘI BRÂNZĂ FETA este probabil cea mai cunoscută plăcintă grecească, preparată aproape zilnic în Grecia și consumată de obicei ca aperitiv consistent. Eu prefer să mănânc această plăcintă sățioasă ca fel principal sau ca aperitiv pentru miel la grătar.

4 PORȚII

2 linguri de ulei de măsline

2 cepe dulci mari, curățate și tocate mărunt

sare de mare și piper negru

500 g de frunze de spanac, spălate și scurse

nucșoară

250 g de brânză feta sfărâmată

2 ouă mari

200 ml de smântână

50 g de muguri de pin prăjiți

100 g de unt topit

14 foi de plăcintă

Încingeți uleiul de măsline într-o tigaie, la foc potrivit, și adăugați ceapa, cu puțină sare și piper. Căliți 6–8 minute, amestecând constant, până când ceapa se înmoaie, fără să se rumenească însă. Mutați într-un bol mare.

Rupeți frunzele de spanac și fierbeți-le într-o cratiță mare, la foc potrivit spre mare, până când se înmoaie, apoi puneți-le într-o strecurătoare. Apăsați spanacul cu o lingură pentru a-l stoarce cât mai bine de apă. Lăsați-l să se răcească, apoi tocați-l mare.

Puneți spanacul în bolul cu ceapă și presărați deasupra puțină nucșoară. Adăugați brânza feta, ouăle și smântâna. Asezonați cu mai mult piper și doar un praf de sare – deoarece feta este deja sărată. La sfârșit, adăugați mugurii de pin. Lăsați amestecul să se răcească până când este gata de folosit.

Preîncălziți cuptorul la 200ºC (cuptor electric)/treapta 6 (cuptor cu gaz). Ungeți o tavă mare, termorezistentă, cu puțin unt topit. Așezați 10 straturi de foi de plăcintă în tavă, ungând fiecare strat cu unt și lăsând părțile în exces să atârne pe margini. Cu o lingură, așezați peste fiecare foaie amestecul de brânză feta și de spanac, apoi îndoiți marginile foii peste umplutură. Așezați deasupra foile rămase, ungeți-le cu o cantitate consistentă de unt și încrețiți-le ușor pentru a obține un aspect apetisant.

Dați tava la cuptor 50–60 de minute, până când suprafața plăcintei se rumenește și devine aurie, iar umplutura este făcută. Pentru a verifica, înțepați plăcinta cu un cuțit mic – umplutura nu trebuie să fie prea moale.

Lăsați-o cel puțin 10 minute înainte de a o tăia. Serviți-o caldă sau la temperatura camerei.

Tort cu **nucă**

DAT PRINTR-O BAIE DE SIROP AROMAT CU MIRODENII imediat ce este scos din cuptor, acest tort clasic este delicios. În Grecia este denumit *karydopita* și se prepară adesea fără nici un pic de făină, însă eu cred că puțină făină face tortul mai ușor. Ideal este să îl serviți cu o cantitate generoasă de iaurt grecesc și cu un ceai sau o cafea tare, pentru a-i tăia din dulceață.

4 PORȚII

unt topit, pentru uns
5 ouă mari, gălbenușurile separate
　de albușuri
2 linguri de coniac
coaja rasă și zeama de la 1 portocală
90 g de zahăr tos
1/2 de linguriță de scorțișoară
　măcinată
1/4 de linguriță de cuișoare măcinate
20 g de făină cernută
2 lingurițe de praf de copt
35 g de crutoane vechi de o zi
175 g de miez de nucă

Sirop cu mirodenii:
125 g de zahăr tos
150 ml de apă
3 cuișoare
1 baton de scorțișoară
zeama și coaja rasă fin
　de la 1 lămâie

Preîncălziți cuptorul la 190ºC (cuptor electric)/treapta 5 (cuptor cu gaz). Ungeți cu unt fundul și interiorul unei forme de tort de 23 cm, preferabil cu fund detașabil.

Într-un bol mare, bateți gălbenușurile, coniacul, coaja și zeama de portocală, până obțineți o compoziție omogenă și cremoasă.

Puneți într-un mixer zahărul, scorțișoara, cuișoarele, făina, praful de copt, crutoanele și 150 g de nucă și amestecați până obțineți granule fine. Puneți amestecul într-un bol mare. În alt bol curat, bateți albușurile spumă.

Amestecați compoziția cu gălbenuș cu cea cu crutoane, apoi adăugați cu atenție albușurile, folosind o lingură mare de metal, până se omogenizează.

Turnați compoziția de tort în tava pregătită și lăsați-o la cuptor 40 de minute. Pentru a vedea dacă este gata tortul, înțepați-l cu o scobitoare – dacă scobitoarea iese curată, înseamnă că tortul este făcut, dacă nu, mai lăsați-l la cuptor câteva minute.

Cât timp tortul este la cuptor, preparați siropul cu mirodenii. Puneți toate ingredientele într-o oală mică și amestecați-le la foc potrivit până când se dizolvă zahărul. Așteptați să dea în clocot și lăsați la foc mic 5 minute. Așteptați să se răcească de tot înainte de a-l strecura printr-o sită într-un borcan. Măcinați sau rupeți bucăți mici nucile rămase.

Când tortul este gata, scoateți-l din cuptor și înțepați-l pe toată suprafața cu un bețișor. Presărați deasupra restul de nuci, apoi puneți cu o lingură siropul răcit peste tortul fierbinte. Lăsați-l să se răcească înainte de a-l tăia și a-l servi.

Pepene verde la tigaie cu **iaurt** și **nuci** caramelizate

PEPENII VERZI DULCI SUNT FOARTE AGREAȚI de greci. Când acest fruct răcoritor este în plin sezon, spre sfârșitul lui august, este consumat adesea nu numai ca desert, ci și la micul dejun și chiar și la prânz, cu feta și măsline, în salate. Mie îmi place foarte mult să prăjesc în tigaie felii de pepene – pentru a mă bucura din plin de dulceața sa naturală –, și pun apoi deasupra un strat gros de iaurt și nuci caramelizate, pentru un desert savuros.

4 PORȚII

1 pepene verde mic sau jumătate
   de pepene verde mediu
puțin ulei de măsline
zahăr pudră, pentru a presăra
   pe deasupra
400–500 g de iaurt grecesc

Nuci caramelizate:
15 g de unt
65 g de miere
100 g de nuci

Pentru a pregăti nucile caramelizate, tapetați o tavă cu hârtie pergament. Puneți untul și mierea într-o tigaie mică, cu fund gros, și lăsați-o la foc moderat 2–3 minute, până când se topește untul, apoi adăugați nucile și amestecați. Mai lăsați tigaia pe foc 1–2 minute, până când amestecul începe să clocotească și să se rumenească bine. Turnați totul încet în tava de copt și lăsați deoparte 1–2 ore. (Nu vă așteptați ca nucile caramelizate să se sfărâme ca alunele, pentru că au un înveliș moale.) Rupeți-le bucăți mici și depozitați-le într-un recipient etanș până când veți avea nevoie de ele.

Când aproape ați terminat, tăiați pepenele în triunghiuri sau pătrate groase de 3–4 cm. Încingeți puțin ulei de măsline într-o tigaie antiaderentă, la foc mare. Pudrați feliile pe toate părțile cu zahăr pudră, apoi prăjiți-le 1–1 1/2 minute pe fiecare parte. Scoateți-le pe un platou cald și repetați procesul cu restul de bucăți de pepene.

Puneți câte o felie de pepene prăjit pe fiecare platou, adăugați un bulgăre mare de iaurt și presărați deasupra nucile caramelizate. Serviți imediat.

BUCĂTĂRIA SPANIOLĂ

ADOR SĂ MERG ÎN SPANIA ȘI AM PETRECUT FOARTE
MULT TIMP ÎN SAN SEBASTIÁN. ARZAK, UN RENUMIT
RESTAURANT DE FAMILIE DIN ORAȘ, AL LA FEL
DE CELEBRULUI JUAN MARI ARZAK, DEȚINE TREI
STELE MICHELIN. DESIGUR, CATALONIA ESTE
CASA FAIMOSULUI RESTAURANT EL BULLI, AL LUI
FERRAN ADRIÀ, ÎN CARE PREPARATELE CULINARE
NU CONTENESC SĂ MĂ UIMEASCĂ. DAR CEEA CE
MĂ ATRAGE LA MÂNCAREA SPANIOLĂ SUNT DELICIILE
RUSTICE SIMPLE – O PAELLA NEMAIPOMENITĂ, PEȘTE
SAU CRUSTACEE PREPARATE CÂT SE POATE DE SIMPLU.
ÎN PLUS, ADOR TAPASURILE. ELE AU REPREZENTAT
SURSA DE INSPIRAȚIE PENTRU RESTAURANTUL NOSTRU
MAZE DIN LONDRA, UNDE SE SERVESC MAI MULTE
PLATOURI MICI, ASTFEL ÎNCÂT CLIENȚII SĂ SE POATĂ
BUCURA DE O CINĂ ALCĂTUITĂ DIN NUMEROASE
PREPARATE DIFERITE.

Supă rece cu migdale, usturoi și struguri

O VARIANTĂ MAURĂ A PREPARATULUI GAZPACHO, în care migdalele, usturoiul și pâinea albă înlocuiesc roșiile și legumele proaspete. O mână de struguri și de migdale prăjite adăugate în fiecare bol contrastează și echilibrează consistența delicată și cremoasă a supei.

4 PORȚII

200 g de pâine albă, țărănească

150 g de migdale

1 cățel de usturoi mare, curățat și tocat mare

200 ml de ulei de măsline extravirgin, plus încă puțin
   pentru a asezona (opțional)

1 1/2–2 linguri de oțet sherry

350–400 ml de apă rece ca gheața

Pentru ornat:

150–200 g de struguri albi fără sâmburi, tăiați pe din două

2 linguri de fulgi de migdale sau de migdale întregi prăjite

1 mână de cuburi de gheață (opțional)

Îndepărtați coaja de la pâine, apoi tăiați pâinea cuburi și așezați-o într-un bol. Turnați suficientă apă rece pentru a o acoperi, lăsați-o să se înmoaie 2–3 minute, apoi stoarceți apa în exces din pâine.

Puneți pâinea într-un mixer sau un blender. Adăugați migdalele, usturoiul, uleiul de măsline și oțetul sherry și amestecați până se omogenizează. Apoi turnați treptat apa rece și amestecați cu mixerul, până când supa capătă consistența smântânii. Dacă o preferați mai subțire, mai adăugați puțină apă. Turnați supa într-un castron, acoperiți-o și lăsați-o la frigider până se răcește bine.

Turnați supa în boluri răcite și ornați-o cu boabele de struguri tăiate pe din două și cu fulgii de migdale. Dacă doriți, adăugați un cub de gheață în fiecare bol și stropiți cu ulei de măsline înainte de servire.

Creveți cu usturoi

DE ORIGINE CATALANĂ, ACEST FEL DE TAPAS SIMPLU se servește acum în întreaga Spanie. Folosiți creveți foarte proaspeți, pentru a fi siguri că veți obține un preparat dulce și suculent. Mâncați-i cu mâna și nu uitați să puneți la îndemână un castron pentru cochiliile goale și boluri cu apă cu lămâie pentru spălat pe mâini.

4 PORȚII

600 g de creveți cruzi, mari
4 linguri de ulei de măsline
5–6 căței de usturoi, curățați și tocați mărunt
2 ardei roșii uscați, tocați mărunt
sare de mare și piper negru

Pentru ornat:
câteva frunze de pătrunjel tocate
felii groase de lămâie

Lăsați creveții în cochilie sau, dacă preferați, îndepărtați-le capul și curățați-i, lăsând cozile intacte.

Încingeți uleiul de măsline într-o tigaie mare. Adăugați usturoiul, ardeii uscați, puțină sare și piper. Prăjiți totul la foc mic aproximativ 1 minut, până când usturoiul începe să se rumenească ușor. Adăugați imediat creveții în tigaie, măriți flacăra și prăjiți-i pe fiecare parte aproximativ 1 1/2 minute, până când devin opaci și de un roșu aprins.

Aranjați creveții pe un platou cald sau pe farfurii, turnați deasupra uleiul cu usturoi din tigaie și presărați puțin pătrunjel tocat. Serviți imediat, cu felii groase de lămâie și cu pâine prăjită.

Bobi cu Jamón Iberico

ACESTA ESTE UN AMESTEC SPANIOL CLASIC și unul dintre aperitivele tapas cel mai simplu de preparat. Vă recomand să folosiți Jamón Iberico, datorită gustului său deosebit de nuci – o puteți găsi în magazinele cu specialități.

4 PORȚII

500 g de bobi (ideal este să fie proaspăt scoși din păstaie, dar puteți folosi și congelați sau la conservă)
sare de mare și piper negru
3 linguri de ulei de măsline
100 g de Jamón Iberico tăiată cubulețe
1 ceapă, curățată și tocată mărunt
2 căței de usturoi, curățați și tocați mărunt
1 lingură de pătrunjel tocat

Puneți bobii într-o oală cu apă sărată fierbinte, dați în clocot și lăsați-i să fiarbă 2–3 minute, până când se frăgezesc. Vărsați-i într-o strecurătoare și așezați-i sub un jet de apă rece, pentru a-i împrospăta, apoi scurgeți-i din nou.

Încingeți uleiul de măsline într-o tigaie. Adăugați șunca și prăjiți-o 2–3 minute, amestecând. Adăugați ceapa și usturoiul și prăjiți-le la foc mic 6–8 minute, până când se înmoaie, fără a se rumeni. Puneți bobii în tigaie și amestecați pe foc 2–3 minute, asezonând bine cu sare și cu piper, după gust.

Mutați bobii și șunca într-un bol cald, presărați pătrunjel tocat și folosiți ca garnitură felii de pâine țărănească prăjită.

Tortilla

RENUMITA TORTILLA ȘI-A CÂȘTIGAT titlul de mâncare națională – *tortilla espanola*. Pe teritoriul Spaniei, există o mulțime de rețete diferite de tortilla – în Valencia, aceasta este preparată îndeosebi cu orez și cu șuncă, în timp ce în Granada, bine-cunoscuta tortilla del Sacromonte se prepară cu fudulii de taur și cu creier de vacă. Următoarea rețetă simplă are la bază o tortilla tradițională din Madrid.

8 PORȚII

900 g de cartofi făinoși medii
100 ml de ulei de măsline
1 ceapă mare, curățată
   și tăiată Julien
sare de mare și piper negru
6 ouă mari

Curățați cartofii și tăiați-i felii subțiri. Încingeți uleiul de măsline într-o tigaie mare, cu fund gros. Adăugați cartofii și ceapa, cu puțină sare și piper și amestecați bine. Micșorați flacăra și prăjiți cartofii timp de 15–20 de minute, amestecând din când în când, pentru ca aceștia să nu se lipească de fundul tigăii.

Când cartofii și ceapa se înmoaie, fără însă a se rumeni, luați tigaia de pe foc și scurgeți uleiul în exces într-un bol; păstrați-l pentru mai târziu. Bateți ușor ouăle într-un castron mare, doar atât cât e necesar pentru a se amesteca. Adăugați cartofii ușor prăjiți în ouăle bătute și lăsați-i câteva minute.

Încingeți 2–3 linguri din uleiul rămas într-o tigaie antiaderentă, cu diametrul de 26 cm, și turnați amestecul de cartofi cu ou, rotind tigaia pentru a întinde amestecul în mod uniform. Lăsați pe foc 4–6 minute sau până când tortilla se rumenește bine și se desprinde de pe marginea tigăii.

Întoarceți tortilla cu atenție și prăjiți-o și pe partea cealaltă. Pentru asta, desprindeți marginile cu o spatulă flexibilă termorezistentă, apoi așezați o farfurie mare deasupra tigăii și întoarceți-le cu atenție pe amândouă. Folosind spatula, așezați tortilla înapoi în tigaie, cu partea rumenită deasupra. Lăsați-o pe foc alte câteva minute, până când este gata și pe cealaltă parte; dacă preferați să fie mai moale pe dinăuntru, luați-o mai repede de pe foc.

Așezați cu atenție tortilla pe o farfurie și lăsați-o să se răcească – ideal este să o consumați la temperatura camerei. Serviți-o tăiată felii groase, pe post de aperitiv sau alături de o salată mixtă, ca o masă de prânz gustoasă.

Paella cu pui și chorizo

DEȘI ÎȘI ARE ORIGINILE ÎN VALENCIA, paella se prepară acum în fiecare regiune din Spania. Există sute de rețete diferite, incluzând cam orice ingredient care merge bine cu orezul. Rețeta tradițională de *paella valenciana* conține pui, iepure și melci, în timp ce *paella marisco* (paella cu un amestec de fructe de mare) este mai des preparată în zonele de coastă. Încercați să cumpărați orez special pentru paella, deoarece va absorbi mai bine supa cu șofran decât orezul cu bob lung.

4–6 PORȚII

400 g de orez pentru paella, cu bob mediu (de exemplu, Bomba sau Calasparra)

6 pulpe superioare de pui dezosate, aproximativ 600 g

sare de mare și piper negru

250 g de cârnați chorizo cruzi, fără coajă

3 linguri de ulei de măsline

1 ardei roșu, fără semințe și tocat

1 ardei verde, fără semințe și tocat

6 căței de usturoi, curățați și tocați mărunt

125 ml de vin alb sec

1 litru de supă de pui

câteva fire de șofran

1/2 de linguriță de boia de ardei

100 g de mazăre, decongelată dacă a fost ținută la congelator

6 roșii mari, fără coajă și fără semințe, tocate

1 mână de frunze de pătrunjel tocate

sferturi de lămâie, pentru ornat

Clătiți bine orezul, scurgeți-l și lăsați-l deoparte. Tăiați carnea de pui bucățele și asezonați cu sare și piper. Tăiați cârnații chorizo felii groase.

Încingeți uleiul de măsline într-o tigaie mare – sau într-o tigaie de paella, dacă aveți una – și rumeniți bucățile de pui pe întreaga suprafață; scoateți-le pe o farfurie și lăsați-le deoparte. Adăugați feliile de chorizo în tigaie și sotați-le 2 minute, apoi puneți ardeii tocați și usturoiul. Lăsați-le pe foc 3–4 minute, amestecând constant, până când ardeii încep să se înmoaie.

Adăugați orezul și amestecați câteva minute, pentru ca boabele să se prăjească. Turnați vinul și lăsați-l să clocotească până când scade la jumătate. Apoi adăugați supa, șofranul și boiaua. Dați în clocot, după care puneți din nou bucățelele de pui în tigaie și micșorați flacăra. Lăsați la foc mic 15 minute, amestecând destul de des.

Adăugați mazărea și roșiile tocate și lăsați-le la foc mic încă 10 minute, amestecând constant. Când orezul este aproape gata, dar rămâne puțin tare, luați tigaia de pe foc și lăsați-o deoparte câteva minute.

Presărați pătrunjelul tocat peste paella, apoi puneți-o pe masă și serviți-o cu sferturile de lămâie.

Merluciu basc cu cartofi

MERLUZA VASCA, merluciul basc, este un pește cu o piele închisă la culoare și cu o carne delicioasă, tare. Pe plan local, este considerat o delicatesă și poate fi destul de scump dacă a fost prins din golful Byscaia. Merluza se găsește din ce în ce mai rar, de aceea, atunci când prepar acest fel de mâncare acasă, folosesc merluciu din sudul Africii, mult mai ușor de procurat.

4 PORȚII

750 g de file de merluciu

4 căței de usturoi, curățați

5 linguri de ulei de măsline

1 lingură de boia dulce

125 ml de vin alb sec

1 ceapă mare, curățată și tăiată Julien

500 g de cartofi noi, curățați și tăiați în sferturi

sare de mare și piper negru

200 g de mazăre, decongelată dacă a stat la congelator

Îndepărtați oasele mici din merluciu cu o pensetă de bucătărie, apoi tăiați peștele bucăți de 5 cm și lăsați-l deoparte. Tăiați felii fine doi căței de usturoi. Încingeți 3 linguri de ulei de măsline într-o tigaie, adăugați usturoiul feliat și căliți-l la foc mic până când se rumenește ușor. Luați tigaia de pe foc și așteptați ca uleiul să se răcească puțin înainte de a adăuga boiaua, apoi vinul. Lăsați-le la infuzat cât timp pregătiți restul ingredientelor.

Tăiați în sferturi cei 2 căței de usturoi rămași. Puneți ceapa, cartofii, usturoiul și restul de ulei de măsline într-un vas termorezistent. Adăugați vinul cu usturoi și boia și suficientă apă încât să le acopere. Asezonați cu sare și piper și dați totul în clocot. Țineți la foc iute aproximativ 8–10 minute, apoi adăugați bucățile de merluciu și mazărea. Micșorați flacăra și lăsați la foc mic 3–5 minute, până când cartofii și merluciul sunt gata. Adăugați sare și piper, după gust.

Așezați mâncarea straturi-straturi în boluri calde și serviți-o imediat, cu pâine țărănească, pe care o puteți înmuia în sosul delicios.

Cod cu sos romesco

ROMESCO ESTE UN PREPARAT specific Cataloniei, unde este servit frecvent ca sos. Eu pregătesc fileul de cod la cuptor cu un strat generos de romesco. Este o modalitate simplă, sănătoasă și gustoasă de a pregăti orice varietate de pește alb.

4 PORȚII

4 fileuri de cod groase, cu piele, de aproximativ 175 g fiecare

3 linguri de ulei de măsline

100 g de migdale

3–4 căței de usturoi, curățați și feliați subțire

1 ceapă, curățată și tocată mărunt

1 vârf de cuțit de boia, după gust

6 roșii rotunde coapte, decojite și tocate mărunt

1 frunză de dafin

sare de mare și piper negru

85 g de pâine albă de calitate (aproximativ 2 felii), prăjită și tocată mare

2 linguri de pătrunjel tocat, plus încă puțin pentru ornat

3–4 linguri de apă

3 linguri de oțet sherry

Îndepărtați oasele subțiri din fileurile de cod cu ajutorul unei pensete de bucătărie. Țineți-le la rece până le veți găti.

Preîncălziți cuptorul la 180ºC (cuptor electric)/treapta 4 (cuptor cu gaz). Încingeți uleiul de măsline într-o tigaie mare, adăugați migdalele și usturoiul și căliți-le la foc mic până se rumenesc ușor. Scoateți-le din tigaie cu o paletă și lăsați-le deoparte pe o farfurie.

Puneți ceapa în tigaie și căliți-o la foc mic până se rumenește ușor. Adăugați boiaua, roșiile și frunza de dafin. Amestecați bine și asezonați cu sare și piper. Lăsați la foc mic 10 minute sau mai mult, până se înmoaie roșiile.

Între timp, puneți migdalele și usturoiul, pâinea și pătrunjelul într-un blender sau un mixer, împreună cu o lingură de apă. Amestecați până obțineți o pastă groasă, apoi adăugați amestecul de roșii, împreună cu 2–3 linguri de apă. Adăugați oțetul sherry, apoi gustați și potriviți de sare și de piper, dacă vi se pare necesar.

Aranjați fileurile de cod într-un vas termorezistent, turnați deasupra sosul romesco, acoperiți vasul cu o folie de aluminiu și dați-l la cuptor 15–20 de minute, în funcție de grosimea peștelui, până se pătrunde bine. Serviți-l direct din vas, cu puțin pătrunjel tocat presărat deasupra.

Chiftelute
în sos de **roșii**

CHIFTELUȚELE SPANIOLE SAU ALBONDIGAS se servesc adesea ca tapas în barurile din întreaga Spanie. Ele pot alcătui și un delicios fel principal – servite cu orez preparat la aburi sau consumate cu pâine țărănească înmuiată în sos.

4–5 PORȚII

Chiftele spaniole:

500 g de carne de vită tocată, de bună calitate

1 ceapă, curățată și tocată foarte mărunt

1 cățel de usturoi, curățat și tocat mărunt

50 g de pesmet

25 g de brânză Manchego (sau Cheddar) rasă

2 linguri de pătrunjel tocat, plus încă puțin pentru ornat

sare de mare și piper negru

1 ou mare, bătut ușor

2 linguri de ulei de măsline

Sos de roșii:

2 linguri de ulei de măsline

1 ceapă, curățată și tocată foarte mărunt

1 cățel de usturoi, curățat și tocat foarte mărunt

120 ml de vin alb sec

2 cutii de 400 g de roșii tocate

100 ml de apă

1–2 lingurițe de zahăr tos

Pentru a prepara chiftelele, amestecați carnea de vită tocată, ceapa, usturoiul, pesmetul, brânza și pătrunjelul într-un bol mare, până se omogenizează. Asezonați cu sare și piper și adăugați oul bătut pentru a lega compoziția, amestecând cu mâinile. Rupeți o porțiune mică din amestec, formați o chiftea și prăjiți-o într-o tigaie cu ulei până când este gata, apoi gustați-o pentru a o potrivi de condimente. Dacă este necesar, mai adăugați sare și piper în compoziție.

Cu mâinile umede, formați 16 chiftele, încercând să nu le presați prea tare. Așezați-le pe o farfurie mare, acoperiți-le cu folie alimentară și lăsați-le la rece măcar 30 de minute, pentru a le permite să se întărească.

Între timp, preparați sosul de roșii. Încingeți uleiul de măsline într-o tigaie, adăugați ceapa și usturoiul și căliți-le la foc mic până se rumenesc ușor. Măriți puțin flacăra și turnați vinul. Lăsați-l să clocotească până când scade la jumătate, apoi amestecați roșiile tocate, apa și zahărul. Potriviți de sare și piper. Lăsați amestecul la foc mic, timp de 10–15 minute, până când roșiile se înmoaie, apoi luați tigaia de pe foc.

Pentru a găti chiftelele, încingeți uleiul de măsline într-o tigaie mare și lată. Adăugați chiftelele răcite și prăjiți-le 5 minute, întorcându-le frecvent, până când se rumenesc pe toată suprafața. Turnați sosul de roșii deasupra și mai lăsați-le la foc mic 10–15 minute, până sunt gata.

Împărțiți chiftelele și sosul de roșii în boluri calde și presărați pe deasupra pătrunjel verde, înainte de a le servi.

Sirop caramel
cu portocale

Puneți zahărul nerafinat într-o tigaie uscată antiaderentă, cu fundul gros, și dați-l la foc mare. Învârtiți tigaia, pentru a vă asigura că zahărul se topește uniform. Când s-a topit tot și a format un caramel maroniu-auriu, turnați cu grijă sucul de portocale – fiți atenți, amestecul va împroșca. Nu vă îngrijorați dacă acest caramel fierbinte se va îngroșa la contactul cu sucul rece. La foc mic, amestecați rapid și continuu, până când zahărul caramelizat se topește, iar sosul se fluidizează. Luați tigaia de pe foc.

Portocale în caramel
cu cremă de sherry

ACEST DESERT RAFINAT ȘI RĂCORITOR este o metodă perfectă de a contrabalansa o masă consistentă. Pentru un gust mai sofisticat, am adăugat la sfârșit câteva coji de portocale glasate, însă dumneavoastră puteți renunța la acest ingredient dacă doriți un desert mai simplu. Dacă pregătiți totuși cojile de portocale glasate și nu le folosiți pe toate, păstrați-le pentru a decora alte deserturi sau torturi.

4 PORȚII

6 portocale
75 g de zahăr nerafinat
100 ml de suc de portocale

Coji de portocale glasate:
coaja tăiată felii subțiri de la
  3 dintre portocalele de mai sus
250 ml de apă
150 g de zahăr tos

Cremă de sherry
50 ml de smântână dulce
2 linguri de zahăr pudră, cernut
1–2 linguri de sherry
  (vin de Xeres)
câteva fire de mentă,
  pentru ornat

Pentru a prepara cojile de portocale glasate, îndepărtați toată partea albă din coajă, deoarece are un gust foarte amar, apoi tăiați fâșii subțiri. Turnați apă într-o tigaie mică, cu fundul gros, apoi adăugați zahărul tos și dizolvați-l la foc mic, amestecând constant. Puneți cojile de portocale, acoperiți parțial și lăsați la foc domol 40–50 de minute, până se înmoaie. Luați tigaia de pe foc și așteptați ca siropul să se răcească.

Pentru a pregăti portocalele, tăiați-le baza și partea de sus (inclusiv la cele trei fructe de la care ați folosit coaja) și îndepărtați pielița și semințele. Tăiați fiecare portocală felii transversale de 1 cm grosime. Așezați feliile în straturi, pe farfurii separate, și băgați-le la rece.

Acum preparați siropul caramel cu portocale, urmând instrucțiunile de la pagina anterioară. Lăsați-l să se răcească bine.

Pentru crema de sherry, într-un bol mare, bateți smântâna cu zahărul pudră până când se îngroașă. Aromați cu sherry, după gust, și continuați să bateți până când smântâna se întărește bine. Acoperiți și lăsați-o la rece până la servire.

Turnați siropul caramel cu portocale răcit peste feliile de portocale, apoi adăugați puțină cremă de sherry. Presărați deasupra câteva coji de portocală și 2–3 frunze de mentă. Serviți imediat.

Crema **catalana**

ASEMĂNĂTOR CU CREMA DE ZAHĂR ARS FRANȚUZEASCĂ, dar cu o consistență mai moale și mai subțire, acest desert deosebit ocupă un loc de seamă în bucătăria catalană. În mod tradițional, crema este preparată de stăpâna casei și se servește doar de ziua Sfântului Iosif, pe 19 martie. Însă, după ce veți încerca acest desert cremos, este foarte posibil să fiți tentați să-l preparați de mai multe ori pe an.

4–5 PORȚII

4 gălbenușuri mari
70 g de zahăr tos
2 linguri de făină de porumb, cernută
coaja rasă fin de la 1 lămâie
coaja rasă fin de la 1 portocală
1 baton de scorțișoară
250 ml de lapte integral
250 ml de smântână grasă
zahăr nerafinat, pentru presărat
  pe deasupra

Într-un bol mare, bateți gălbenușurile și zahărul tos până când amestecul devine opac și cremos. Adăugați și bateți făina de porumb și coaja de lămâie și de portocală, apoi batonul de scorțișoară. Apoi turnați încet laptele și smântâna, amestecând continuu.

Transferați compoziția într-o tigaie cu fundul gros și fierbeți-o la foc mic, amestecând constant cu o lingură de lemn, până când se îngroașă suficient încât să rămână pe lingură. În această etapă, ar trebui să simțiți o oarecare rezistență atunci când amestecați în cremă. Nu țineți tigaia prea mult la foc, deoarece riscați ca amestecul să devină prea gros.

Luați cratița de pe foc și scurgeți crema printr-o sită fină într-un castron. Turnați-o apoi în 4 sau 5 boluri, în funcție de dimensiunea acestora. Lăsați-o să se răcească bine, apoi puneți-o la frigider.

Chiar înainte de servire, presărați un strat subțire de zahăr nerafinat la suprafața fiecărui bol. Caramelizați zahărul trecând cu o lampă de bucătărie pe deasupra (dacă nu aveți lampă de bucătărie, puneți bolurile pe o tavă de copt, sub un grătar preîncălzit foarte fierbinte, până când zahărul devine rumen). Oricare ar fi varianta aleasă, aveți grijă să nu ardeți crema. Serviți imediat.

BUCĂTĂRIA BRITANICĂ

DIN PĂCATE, BUCĂTĂRIA TRADIȚIONALĂ BRITANICĂ NU S-A FĂCUT REMARCATĂ DE-A LUNGUL ANILOR, DEOARECE ALTE BUCĂTĂRII „MAI INTERESANTE" I-AU LUAT-O ÎNAINTE. RECENT ÎNSĂ, ANUMIȚI BUCĂTARI FOARTE TALENTAȚI ȘI-AU ÎNDREPTAT ATENȚIA ASUPRA MOȘTENIRII CULINARE BRITANICE ȘI AU READUS PREPARATELE ENGLEZEȘTI ÎN MENIURI. AM ÎNCERCAT ȘI EU SĂ CONTRIBUI LA ACEASTĂ DIRECȚIE, SERVIND ÎN LOCALURILE MELE DOAR PREPARATE BRITANICE, IAR REZULTATUL A FOST UIMITOR. AVEM UNELE DINTRE CELE MAI BUNE PRODUSE DIN LUME – NU TREBUIE DECÂT SĂ LE VALORIFICĂM ȘI SĂ NE BUCURĂM DIN PLIN DE ELE. DIN FERICIRE, DE AICI ÎNCOLO, VIZITATORII MARII BRITANII VOR APRECIA FAPTUL CĂ ÎN CULTURA NOASTRĂ CULINARĂ EXISTĂ ȘI ALTCEVA ÎN AFARĂ DE PEȘTE CU CARTOFI PRĂJIȚI!

Supă de **telină** cu brânză **Stilton** și pâine prăjită

IDEALĂ PENTRU A VALORIFICA BRÂNZA STILTON după Crăciun, această supă vă va prinde de minune iarna, când e frig. Este suficient de consistentă încât să fie servită ca masă de prânz, însoțită de pâine prăjită cu brânză Stilton și, poate, de o salată de cicoare, nuci și clementine alături.

4 PORȚII

15 g de unt
1 lingură de ulei de măsline
2 țeline, aproximativ 700 g, curățate și tăiate
sare de mare și piper negru
800 ml de supă de legume sau de pui fierbinte
100 g de brânză Stilton sfărâmată

Pâine prăjită cu brânză Stilton:
60 g de brânză Stilton sfărâmată
2 linguri de smântână grasă
1 mână de pătrunjel tocat
2 felii de pâine de tărâțe sau neagră, fără coajă

Încingeți untul și uleiul de măsline într-o tigaie medie. Adăugați țelina, ceapa, sare și piper și gătiți-le 8–10 minute, amestecând constant, până când legumele se înmoaie. Turnați suficientă supă încât să le acoperiți și lăsați tigaia la foc mic 3–5 minute. Apoi dați-o deoparte și așteptați ca legumele să se răcească puțin.

Cu un blender, amestecați supa până când obțineți un piure – dacă bolul blenderului e prea mic, repetați operațiunea de mai multe ori –, adăugând treptat brânza Stilton. Turnați din nou supa în cratiță. Gustați și potriviți de sare și de piper, dacă este necesar.

Pentru pâinea prăjită cu brânză Stilton, preîncălziți grillul la foc mare. Într-un castron mic, amestecați brânza Stilton, smântâna și pătrunjelul tocat și asezonați cu sare și cu o cantitate consistentă de piper. Prăjiți ușor pâinea pe ambele părți. Acoperiți feliile cu amestecul de brânză Stilton și băgați-le puțin la cuptor, până când brânza se topește și se rumenește. Tăiați fiecare felie în două, pe diagonală.
Reîncălziți supa, turnați-o în boluri calde și măcinați deasupra puțin piper. Serviți-o cu pâine prăjită cu brânză Stilton alături.

Somon scoțian afumat la cald cu salată de untișor

PUTEȚI PREPARA ACEASTĂ SALATĂ DELICIOASĂ în câteva minute și în orice moment al anului. Dacă doriți, înlocuiți somonul afumat la cald cu păstrăv afumat sau chiar cu macrou picant afumat. Când este sezonul lor sau dacă reușiți să găsiți, folosiți cartofi Jersey Royal, pentru un gust britanic autentic.

4–5 PORȚII

500 g de cartofi noi, spălați
sare de mare
300 g de somon scoțian afumat la cald
1/2 de ceapă roșie, curățată și tăiată Julien
1 mână de mărar tocat mare
200 g de untișor tânăr, proaspăt

Sos:
2 linguri de whisky
1 1/2 linguri de oțet de vin alb
1 1/2 linguri de miere
1 1/2 linguri de muștar franțuzesc
3 linguri de ulei de arahide
3 linguri de ulei de măsline
sare de mare și piper negru

Puneți cartofii noi într-o oală cu apă sărată, dați în clocot și lăsați-i să fiarbă 8–10 minute, până când se simt moi atunci când îi înțepați cu un cuțit.

Cât timp cartofii sunt pe foc, preparați sosul. Puneți whisky-ul, oțetul de vin, mierea, muștarul, uleiul de măsline și uleiul de arahide într-un borcănel cu capac, închideți capacul și agitați bine pentru a amesteca ingredientele. Asezonați cu sare și piper, după gust, și lăsați sosul deoparte pentru moment.

Scurgeți cartofii și puneți-i într-un bol mare. Rupeți carnea de somon în bucăți mici și adăugați-o în bol, alături de ceapa roșie și de muștar. Turnați deasupra puțin sos și amestecați bine, pentru ca acesta să se distribuie în tot bolul.

Așezați amestecul de cartofi și de somon pe un platou mare, apoi presărați pe deasupra untișorul. Turnați restul de sos și serviți.

Ouă coapte cu ciuperci de pădure

CIUPERCILE DE PĂDURE TRANSFORMĂ OUĂLE COAPTE SIMPLE într-un aperitiv sofisticat. Serviți cu pâine prăjită, fierbinte, cu unt. Acest fel de mâncare este perfect și ca gustare, dacă serviți câte două ouă de persoană și măriți ușor cantitățile celorlalte ingrediente.

4 PORȚII

20 g de unt, plus o cantitate suplimentară pentru uns

400 g de ciuperci de pădure, curățate și feliate

2 cepe roșii mari, curățate și tocate mărunt

câteva fire de cimbru

sare de mare și piper negru

4 ouă mari

4 linguri de smântână dulce

25 g de brânză Cheddar maturată, rasă

Puneți o tigaie la foc mare. Topiți untul și, atunci când începe să facă spumă, adăugați ciupercile de pădure, cepele roșii și frunzele de cimbru. Asezonați cu sare și piper. Lăsați-le pe foc 3–5 minute, amestecând des.

Preîncălziți cuptorul la 190ºC (cuptor electric)/treapta 5 (cuptor cu gaz). Ungeți cu un strat subțire de unt 4 vase de gratinat și împărțiți amestecul cu ciuperci. Faceți o gaură pe mijloc și spargeți cu grijă un ou înăuntru. Turnați smântâna dulce în jurul oului și puneți deasupra puțină brânză rasă. Adăugați un praf de sare și măcinați puțin piper.

Puneți vasele de gratinat pe o tavă și dați-le la cuptor. Coaceți 10–12 minute dacă vă plac ouăle mai moi sau prelungiți durata de coacere dacă preferați ouăle bine făcute. Serviți-le imediat, cu pâine prăjită, fierbinte, cu unt.

Plăcintă de pește
cu praz și creveți

O PLĂCINTĂ DE PEȘTE RUMENITĂ, CU UN STRAT DE CARTOFI DEASUPRA, este întotdeauna o alegere perfectă, mai ales în lunile reci. Eu adaug de obicei în compoziție câteva gălbenușuri, pentru că ajută la fixarea stratului de cartofi și îi dau un luciu apetisant.

4 PORȚII

1 ceapă, curățată și tăiată în sferturi

3–4 cuișoare

1 frunză de dafin

250 ml de smântână dulce

250 ml de lapte integral

400 g de file de pește alb, tare

400 g de file de eglefin afumat

30 g de unt

2 fire de praz, curățate, spălate bine și feliate fin

1 mână de pătrunjel tocat

300 g de creveți cruzi, decorticați

Topping:

750 g de cartofi roșii (preferabil Desirée), curățați de coajă

75 g de unt, tăiat cubulețe

50 ml de lapte fierbinte

2 gălbenușuri mari

75–100 g de brânză Cheddar, rasă

Înfigeți cele 3–4 cuișoare în ceapă. Puneți-o apoi într-o tigaie mare, împreună cu frunza de dafin, smântâna dulce și laptele și dați tigaia la foc mic. Adăugați fileurile de pește alb și de eglefin afumat și lăsați-le 3–4 minute; nu contează dacă peștele rămâne ușor nefăcut în această etapă. Scoateți fileurile din tigaie și așezați-le pe o farfurie. Treceți sosul printr-o sită fină într-un borcan și lăsați-l deoparte.

Topiți untul într-o tigaie, adăugați prazul și înăbușiți-l 4–6 minute, până când se înmoaie. Adăugați făina și mai lăsați tigaia pe foc câteva minute, amestecând. Adăugați treptat sosul de pește păstrat în borcan și lăsați totul la foc mic 10–15 minute, amestecând ocazional, până când capătă consistență. Asezonați bine cu sare și piper, după gust, și adăugați pătrunjel tocat.

Pentru stratul de deasupra, tăiați cartofii bucăți mari și adăugați-i într-o oală cu apă sărată. Când dă în clocot, micșorați flacăra și lăsați cartofii la foc mic 15–20 de minute, până când se simt moi atunci când îi înțepați cu un cuțit. Scurgeți-i bine și zdrobiți-i până când obțineți un piure. Adăugați untul și laptele fierbinte și amestecați până se omogenizează bine. Lăsați să se răcească, apoi adăugați gălbenușurile. Puneți sare și piper.

Preîncălziți cuptorul la 200ºC (cuptor electric)/treapta 6 (cuptor cu gaz). Rupeți peștele în bucăți mici și adăugați sosul de praz cu creveții. Amestecați până se omogenizează. Transferați compoziția într-o cratiță termorezistentă, de 1,75–2 litri și, cu o lingură, puneți cartofii zdrobiți deasupra, aranjându-i uniform. Pentru un aspect tradițional, înțepați la final suprafața cu o furculiță. Presărați deasupra un strat generos de brânză rasă. Dați plăcinta la cuptor 25–30 de minute, până se rumenește și se umflă pe alocuri. Lăsați-o să stea câteva minute, apoi serviți-o cu mazăre sau cu fasole verde.

Coaste de miel cu salicornia

MIELUL ÎN SARAMURĂ ȘI SALICORNIA merg de minune într-o zi de vară. Brânca are un sezon scurt, luna iulie. Salicornia se găsește la negustorii de pește, dar și în piețe și la unele supermarketuri. Dacă nu găsiți, serviți coastele cu fenicul înăbușit sau cu o salată de untișor simplă.

4 PORȚII

2 coaste de miel în saramură, fiecare cu 6 oase
sare de mare și piper
2 linguri de ulei de măsline
200 g de salicornia
25 g de unt
2–3 fileuri de anșoa, tăiate mare
coaja rasă și zeama de la jumătate de lămâie
50 g de alune, desfăcute pe din două și prăjite

Preîncălziți cuptorul la 200ºC (cuptor electric)/treapta 6 (cuptor cu gaz). Asezonați costițele de miel cu sare și piper. Încingeți uleiul de măsline într-o cratiță mare sau într-o tavă de friptură și rumeniți costițele de miel 2–3 minute, cu partea cu grăsime în jos. Întoarceți costițele și băgați vasul la cuptor. Lăsați-le 15 minute dacă vă plac mai în sânge sau 20 de minute dacă le preferați potrivite. Scoateți-le din cuptor, acoperiți-le cu folie alimentară și lăsați-le să stea undeva la cald, cel puțin 10 minute.

Între timp, dați în clocot o oală mare cu apă sărată. Adăugați salicornia și lăsați-o să fiarbă 2–3 minute, până se frăgezește. Reîmprospătați-o într-un bol cu apă cu gheață, apoi scurgeți-o din nou.

Când sunteți aproape gata de servire, topiți untul într-o tigaie mare, la foc moderat. Când începe să facă spumă, adăugați fileurile de anșoa, salicornia și zeama și coaja de lămâie. Încălziți-le 2–3 minute, apoi adăugați alunele prăjite și o cantitate generoasă de piper măcinat.

Împărțiți salicornia pe farfurii calde. Tăiați coastele de miel felii și aranjați-le deasupra. Turnați cu lingura sos de la miel și de la salicornia. Serviți-le imediat, cu piure de cartofi sau cu cartofi noi.

Fazan la tavă cu legume de iarnă și colcannon

ACEST PREPARAT RUSTIC ESTE ȘI MAI GUSTOS a doua zi după preparare. Asigurați-vă însă că îl încălziți la foc mic, pentru ca fazanul să rămână fraged și suculent. Piureul de cartofi și varză (colcannon) irlandez se combină minunat cu fazanul, însă puteți servi acest preparat și cu piure obișnuit și cu varză înăbușită.

6–8 PORȚII

2 fazani, fiecare de aproximativ 550 g
15 g de făină albă
sare de mare și piper negru
3 linguri de ulei de măsline
200 g de bacon afumat, tăiat cubulețe
2 morcovi, curățați și feliați subțire
2 rădăcini mari de păstârnac, curățate și tăiate bucăți
1/2 de rădăcină de țelină, curățată și tăiată bucăți
12 cepe mici, curățate
2 linguri de miere
200 ml de vin roșu
câteva fire de cimbru
500 ml de supă de pui

Colcannon:
750 g de cartofi făinoși (de exemplu, Desirée sau King Edward)
1/2 de varză, curățată
80 g de unt, tăiat cubulețe
75 ml de smântână dulce, încălzită

Preîncălziți cuptorul la 180ºC (cuptor electric)/treapta 4 (cuptor cu gaz). Tranșați fazanii. Asezonați făina cu sare și piper și folosiți-o pentru a pudra ușor bucățile de fazan. Încingeți uleiul de măsline într-o cratiță mare, termorezistentă și rumeniți uniform bucățile de fazan. Lăsați-le deoparte pe o farfurie.

Puneți în cratiță cubulețele de bacon și prăjiți-le 2–3 minute, amestecând constant. Adăugați cartofii, bucățile de păstârnac, țelina și cepele mici și căliți-le 2–3 minute, amestecând, până când încep să se înmoaie. Adăugați mierea, turnați vinul și lăsați totul pe foc, până când lichidul scade la jumătate. Puneți din nou bucățile de fazan în cratiță, adăugați cimbrul și turnați deasupra supa. Asezonați cu sare și piper, puneți capacul și băgați cratița la cuptor. Lăsați-o 1–1 1/2 ore, până când se frăgezește carnea de fazan.

Între timp, preparați colcannonul. Curățați cartofii și tăiați-i bucăți mari, egale. Puneți-i într-o oală cu apă sărată, dați-i în clocot și lăsați-i pe foc 12–15 minute, până când se înmoaie. Între timp, tocați mărunt varza. Puneți o tigaie la foc potrivit și adăugați un sfert din unt. Când acesta s-a topit, adăugați varza și sotați-o la foc mic 4–6 minute, până se înmoaie. Luați-o de pe foc și lăsați-o deoparte.

Scurgeți bine cartofii, apoi așezați-i din nou în cratiță și puneți-i la foc mic 1 minut, pentru a se zvânta. Luați-i de pe foc și zdrobiți-i bine. Adăugați treptat smântâna și amestecați, condimentați și adăugați treptat restul compoziției. Amestecați varza cu piureul de cartofi și potriviți de sare și de piper.

Împărțiți bucățile de fazan pe farfurii calde și serviți fiecare porție cu o cantitate generoasă de garnitură de colcannon.

Șuncă afumată
cu budincă de mazăre
și sos de pătrunjel

SĂNĂTOASĂ, SIMPLĂ ȘI CONSISTENTĂ, șunca afumată cu budincă de mazăre alcătuiește o cină deosebită în timpul săptămânii sau o masă de prânz perfectă pentru o zi de duminică. Sosul de pătrunjel clasic merge perfect cu acest preparat. Trebuie doar să nu uitați să lăsați peste noapte șunca în apă rece, pentru a îndepărta sarea în exces.

4 PORȚII

2 kg de șuncă afumată fără os, desărată (vedeți mai sus)
1 ceapă, curățată și tăiată în sferturi
1 morcov, curățat și tăiat în sferturi
2 tulpini de țelină, tăiate bucăți
2 frunze de dafin
câteva fire de cimbru
1 linguriță de piper boabe

Budincă de mazăre:
500 g de mazăre galbenă, ținută în apă rece de cu seară
1 ceapă, curățată și tăiată în sferturi
1 morcov, curățat și tăiat în sferturi
2 frunze de dafin
2 linguri de oțet de malț
sare de mare și piper alb
20 g de unt, tăiat cubulețe

Sos de pătrunjel:
20 g de unt
2 cepe roșii, curățate și tăiate Julien
20 g de făină albă
1 1/2 lingurițe de muștar englezesc
150 ml de lapte integral
1 mână de pătrunjel tocat
1 lingură de smântână
zeamă de lămâie după gust

Scurgeți șunca și așezați-o într-o cratiță mare, împreună cu ceapa, morcovul, țelina, frunzele de dafin, cimbrul și boabele de piper negru. Turnați suficientă apă încât să o acoperiți, apoi puneți-o la fiert. Luați spuma. Micșorați flacăra și lăsați la foc mic aproximativ 2 ore, amestecând ocazional, până când șunca este bine pătrunsă. Când e gata, lăsați-o în zeamă.

Pentru budinca de mazăre, scurgeți mazărea ținută în apă și puneți-o într-o cratiță. Adăugați ceapa, morcovul și frunzele de dafin și acoperiți-le cu apă (adăugând puțină zeamă de la șuncă, dacă nu este suficient de sărată). Puneți la fiert și spumuiți. Micșorați flacăra și lăsați cratița la foc mic o oră, până când mazărea este bine fiartă.

Scoateți ceapa, morcovul și frunzele de dafin și puneți mazărea într-un blender. Amestecați până când obțineți un piure, apoi turnați-l într-o cratiță curată. Adăugați oțetul și asezonați cu sare și piper. Puneți treptat untul, câte un cub o dată. Păstrați budinca la cald până este gata de servire, adăugând puțină apă dacă începe să se închege.

Pentru a prepara sosul de pătrunjel, topiți untul într-o tigaie mică, adăugați cepele roșii și lăsați-le la foc mic până când se călesc, fără a se rumeni însă, timp de 4–6 minute. Adăugați făina și muștarul, amestecați bine și lăsați-le pe foc încă 2–3 minute. Turnați treptat laptele și 150 ml de zeamă de la șuncă. Puneți la fiert până dă în clocot, apoi micșorați flacăra și lăsați la foc mic 6–8 minute, amestecând des. Sosul trebuie să fie destul de gros.

Înainte de servire, amestecați pătrunjelul tocat, smântâna și zeama de lămâie în sos și potriviți de sare și piper. Scoateți pe un tocător șunca din zeama în care a stat. Tăiați-o felii groase și încălziți-o puțin, dacă s-a răcit. Serviți-o cu budinca de mazăre și cu sosul de pătrunjel.

5 feluri de a prepara sparanghelul

Sparanghel cu lămâie și sos de tarhon olandez

Pentru sosul de tarhon olandez, tăiați cubulețe 100 g de unt nesărat, rece. Bateți două gălbenușuri mari cu puțină zeamă de lămâie, un cub de unt, sare și piper și fierbeți-le în bain-marie până când obțineți o compoziție foarte groasă și cremoasă. Adăugați restul de unt, câte un cub o dată, apoi continuați să amestecați până când sosul devine lucios și gros. Asezonați sare de mare, piper negru și zeamă de lămâie, după gust, și adăugați câteva frunze de tarhon proaspăt tocate. Înăbușiți 2–3 minute 450 g de sparanghel curat în apă fiartă cu sare, până se înmoaie. Scurgeți-l bine și serviți-l cu sosul olandez alături. 4 PORȚII

Ou fiert cu soldăței de sparanghel

Încingeți cuptorul la 200ºC (cuptor electric)/treapta 6 (cuptor cu gaz). Tăiați pe din două 8 felii de prosciutto și înveliți cu ele 16 tulpini de sparanghel. Așezați sparanghelul pe o hârtie pergament unsă cu ulei, stropiți cu puțin ulei de măsline și măcinați pe deasupra piper negru. Dați totul la cuptor 10–12 minute, până când șunca devine crocantă, iar sparanghelul este fraged. Între timp, puneți 4 ouă mari într-o oală cu apă fiartă cu sare și fierbeți-le 4 minute. Serviți ouăle fierte pe loc, pe farfurii calde, împreună cu soldățeii de sparanghel. 4 PORȚII

Sparanghel tuns cu salată de fenicul

Feliați fin, pe diagonală, 8–10 tulpini de sparanghel curățate, cu ajutorul unui feliator. În același mod, feliați un bulb de fenicul mediu, curățat. Amestecați-le într-un castron. Într-un bol mic puneți laolaltă zeama de la o jumătate de lămâie, jumătate de linguriță de muștar de Dijon, 4 linguri de ulei de măsline extravirgin, jumătate de linguriță de zahăr tos, sare de mare și piper, după gust. Puneți deasupra feliile de sparanghel și de fenicul și amestecați bine. Acoperiți și lăsați să se răcească măcar 15–20 de minute. Adăugați în salată aproximativ 100 g de untișor fraged, un pumn de muguri de pin prăjiți și puțin parmezan ras și amestecați ușor. 4 PORȚII

Frittata cu sparanghel, bacon și brânză de capră

Încingeți la foc domol o lingură de ulei de măsline într-o tigaie medie, antiaderentă. Adăugați 100 g de bacon tăiat cubulețe și rumeniți-l ușor. Puneți deasupra un cățel de usturoi tocat mărunt, 250 g de sparanghel curățat și tăiat mare și puțin cimbru. Prăjiți totul 3–4 minute, până când sparanghelul se frăgezește. Între timp, bateți 4 ouă mari cu 2–3 linguri de smântână, 20 g de parmezan ras, sare și piper. Turnați compoziția cu ou în tigaie și amestecați încet, pentru a distribui ingredientele în mod uniform. Presărați deasupra 100 g de brânză sfărâmată de capră. Lăsați tigaia la foc mic, fără a amesteca, până când ouăle încep să se așeze. Puneți tigaia sub grătarul încins al aragazului, timp de 1–2 minute, până când este gata. Înainte de servire, lăsați frittata să stea un minut. 2 PORȚII

Minitarte cu sparanghel și somon afumat

Rulați 300 g de aluat pe o suprafață tapetată ușor cu făină, până când aluatul ajunge să aibă grosimea unei monede de 50 de bani, și folosiți-l pentru a căptuși 6 forme de minitarte. Lăsați la rece cel puțin 30 de minute. Înăbușiți în apă fiartă cu sare 200 g de sparanghel curățat, timp de 2–4 minute, până când se frăgezește bine. Scurgeți-l, reîmprospătați-l în apă rece cu gheață, scurgeți-l din nou și tăiați-l pe lung în bucăți de 3 cm. Încingeți cuptorul la 200ºC (cuptor electric)/treapta 6 (cuptor cu gaz). Puneți o folie de aluminiu peste fiecare formă și dați-le la copt 15–20 de minute. Îndepărtați foliile și mai lăsați-le 5 minute. Reduceți flacăra la 190ºC (cuptor electric)/treapta 5 (cuptor cu gaz). Într-un castron, bateți ușor 150 ml de smântână dulce și un ou mare, cu puțină sare de mare și piper negru. În formele cu aluat, presărați 75 g de somon afumat bucățele și așezați frumos sparanghelul pe deasupra. Turnați cu o lingură amestecul cu smântână, apoi presărați 20 g de brânză Cheddar rasă. Dați-le la cuptor 15–20 de minute, până când sunt rumene și coapte. Lăsați-le să se răcească puțin. 6 PORȚII

Budincă de marmeladă la abur

O BUDINCĂ LA ABUR, MOALE ȘI LIPICIOASĂ, CONSTITUIE o masă relaxantă și îmi trezește amintiri nostalgice din copilărie. Serviți-o cu un strop de smântână sau cu cremă de lapte cu ou ori – pentru a vă răsfăța și mai mult – cu smântână groasă aromată cu puțin lichior de portocale. Dacă aveți coajă de portocală glasată la îndemână, folosiți-o pentru a orna budinca (p. 102).

4 PORȚII

140 g de unt moale, plus
  o cantitate suplimentară
  pentru uns
3 linguri de marmeladă
2 linguri de sirop de zahăr
coaja rasă fin de la o portocală
140 g de zahăr tos brun
3 ouă mari, bătute ușor
70 g de făină cu drojdie incorporată
2 lingurițe de praf de copt
2 linguri de lapte integral

Ungeți cu un strat subțire de unt un vas de budincă de 1,2 l. Amestecați o lingură de marmeladă cu siropul de zahăr și coaja de portocală și turnați compoziția la baza vasului de budincă.

Amestecați untul și zahărul cu mixerul, până se înmoaie. Puneți treptat ouăle bătute, asigurându-vă că, de fiecare dată când le adăugați, amestecul este perfect omogenizat. Cerneți făina și praful de copt și amestecați cu laptele și cu restul de marmeladă, până obțineți un amestec omogen. Turnați compoziția în vasul de budincă.

Așezați deasupra o hârtie pergament plisată unsă cu unt pe dinăuntru și acoperiți vasul cu o folie alimentară de aceeași dimensiune. Strângeți bine folia cu o sfoară sub marginea vasului.
Așezați vasul într-o cratiță mare, pe un trepied sau pe o farfurie termorezistentă întoarsă. Turnați apă fiartă până la jumătatea vasului de budincă și fierbeți la foc mic. Acoperiți cratița cu un capac etanș și lăsați-o la aburi 1 1/2 ore, verificând nivelul apei la fiecare 30 de minute și mai adăugând apă fiartă dacă este necesar.

Pentru a verifica dacă budinca este gata, scoateți capacul și înțepați-o cu un bețișor de bucătărie: bețișorul ar trebui să iasă curat. Mutați budinca fierbinte pe o farfurie și serviți-o cu cremă de lapte și ou sau cu smântână.

Sendviș cu **biscuiți** din **aluat fraged** și **căpșune**

CĂPȘUNELE CU FRIȘCĂ sunt simbolul verii britanice. Strângeți-le laolaltă și serviți-le între biscuiți din aluat fraged, pentru un desert simplu, dar rafinat. Biscuiții de casă din aluat fraged sunt cei mai delicioși – veți avea mai mulți decât vă trebuie pentru aceste sendvișuri, însă cantitatea suplimentară se păstrează foarte bine, până la o săptămână, într-un recipient etanș. Dacă aveți puțin timp la dispoziție, biscuiții din aluat fraged de calitate din comerț vor face din această rețetă un desert gata într-un minut.

4–6 PORȚII

Biscuiți din aluat fraged:

150 g de făină albă, plus
   o cantitate suplimentară
   pentru pudrat
100 g de făină de orez
1/2 de linguriță de
   sare de mare fină
125 g de unt nesărat, la temperatura
   camerei
90 g de zahăr tos
1 ou mare, bătut

Cremă de căpșune:

50 ml de smântână 40% grăsime
150 g de smântână cu minim
   55% grăsime
3–4 linguri de zahăr pudră, cernut,
   plus o cantitate suplimentară pentru
   a presăra pe deasupra
1 baton de vanilie, tăiat pe lung
400 g de căpșune, curățate și tăiate
   în sferturi

Pentru a prepara biscuiții din aluat fraged, cerneți împreună făina de grâu, făina de orez și sarea. Cu un mixer, bateți untul cu zahărul tos, până se omogenizează. Adăugați încet oul, apoi dați mixerul la viteza cea mai redusă și adăugați făina, câte o lingură odată, până când amestecul capătă consistență și formează un aluat moale; nu îl bateți prea mult. Formați o minge din aluat, înveliți-o în folie alimentară și răciți-o cel puțin o oră.

Între timp, pentru crema de căpșune, puneți într-un bol ambele feluri de smântână și zahărul pudră și scoateți cu vârful unui cuțit semințele din batonul de vanilie. Bateți bine amestecul până se îngroașă. Lăsați-l deoparte până când veți avea nevoie de el.

Preîncălziți cuptorul la 160ºC (cuptor electric)/treapta 2 1/2 (cuptor cu gaz). Pe o suprafață pudrată ușor cu făină, întindeți aluatul până la o grosime de 3–4 mm și tăiați-l în forme rotunde cu un cuțit de aluat de 9–10 cm. Puneți bucățile de aluat rotunde într-o tavă cu hârtie pergament și dați-le la cuptor 20–25 de minute, până se rumenesc ușor. Lăsați-le în tavă câteva minute, până când se întăresc, apoi transferați-le pe un grătar și lăsați-le să se răcească bine.

Amestecați căpșunele cu crema de vanilie, păstrând câteva deoparte. Puneți un biscuit în centrul fiecărei farfurii și turnați deasupra crema. Așezați deasupra alt biscuit, presărați zahăr pudră și puneți alături căpșunele rămase.

Cum se prepară
crema custard

Puneți într-o cratiță cu fundul gros laptele, smântâna, 1 lingură de zahăr tos și lăsați-le să dea în clocot. Între timp, bateți cu un tel gălbenușurile și restul de zahăr într-un bol mare, până obțineți o compoziție omogenă și cremoasă. Chiar înainte ca laptele cremos să dea în clocot, luați-l deoparte și turnați-l treptat în compoziția de ou cu zahăr, amestecând continuu cu telul. Strecurați amestecul în cratiță și puneți-o la foc mic. Amestecați constant cu o lingură de lemn, până când crema se îngroașă suficient încât să rămână pe lingură; nu o țineți prea mult pe foc, pentru că se va închega. Luați cratița de pe foc și mai strecurați încă o dată crema.

Desert cu rubarbă

DELICIOASA RUBARBĂ VIU COLORATĂ poate constitui un desert perfect. Căliți ușor rubarba cu vanilie și zahăr, lăsați-o să se răcească, apoi îmbinați-o cu o cremă custard fină. Tulpinile de rubarbă se rup foarte ușor la foc, deci gătiți-le chiar mai puțin timp dacă preferați să își păstreze forma și să aibă o textură mai fermă.

4–6 PORȚII

500 g de rubarbă
75 g de zahăr brun
coaja rasă fin și zeama de la
   1 portocală
1 baton de vanilie, desfăcut în bucăți

Cremă custard:
150 ml de lapte integral
250 ml de smântână 40% grăsime
50 g de zahăr tos
6 gălbenușuri mari

Tăiați tulpinile de rubarbă fâșii scurte și puneți-le într-o cratiță, împreună cu zahărul brun, coaja și sucul de portocală. Adăugați puțină apă, scoateți cu vârful unui cuțit semințele din batonul de vanilie și puneți cratița la foc mare. Când lichidul începe să clocotească, micșorați flacăra și lăsați cratița la foc mic 8–10 minute sau până se frăgezește rubarba. Luați cratița de pe foc și lăsați-o să se răcească bine.

Între timp, preparați crema, urmând instrucțiunile de la pagina precedentă. Turnați-o într-un bol răcit și lăsați-o să se răcească, amestecând din când în când, ca să nu formeze o coajă. Lăsați-o la rece cât este necesar.

Când este gata de servire, introduceți trei sferturi din rubarba răcită în crema rece. Puneți o lingură de rubarbă în fiecare pahar de servit și turnați deasupra crema de lapte. Adăugați restul de rubarbă peste cremă și serviți imediat.

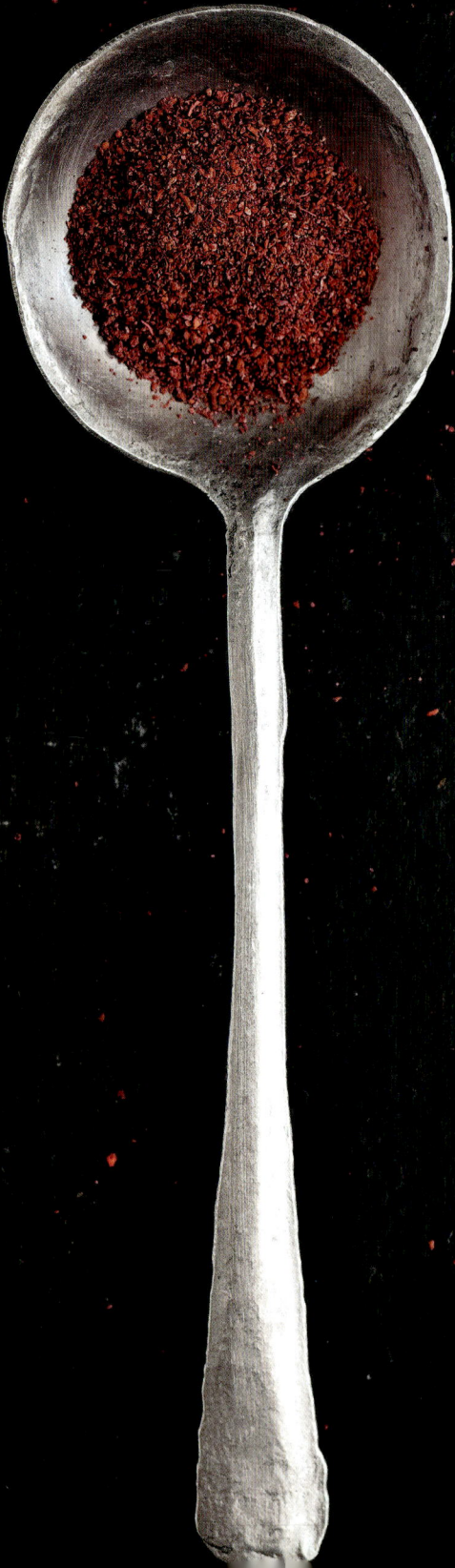

BUCĂTĂRIA ORIENTULUI MIJLOCIU

DIN PERSPECTIVĂ GASTRONOMICĂ, ORIENTUL MIJLOCIU CUPRINDE ȚĂRI ÎNDEPĂRTATE, CA ALGERIA ȘI MAROC, LA VEST, PÂNĂ LA OMAN ȘI IRAN, LA EST. FELURITELE RESTAURANTE NE-AU OFERIT OCAZIA SĂ GUSTĂM SPECIALITĂȚI PRECUM AROMATELE TAGINE NORD-AFRICANE, SAU BUCĂTĂRIA PERSANĂ – BOGATĂ ÎN MIRODENII, VERDEȚURI ȘI FRUCTE. NU MAI ESTE DELOC DIFICIL SĂ GĂSIM INGREDIENTELE NECESARE PENTRU A PREPARA O MASĂ CU SPECIFIC ORIENTAL. EU SUNT ADEPTUL CONCEPTULUI DE „MEZE¨, ADICĂ AL PRACTICII DE A SERVI LA ÎNCEPUTUL MESEI O GAMĂ LARGĂ DE APERITIVE – UN OBICEI CULINAR CARE STRÂNGE LAOLALTĂ FAMILIA ȘI PRIETENII.

Chifteluțe cu dovlecei courgette, feta și verdețuri

ACESTE CHIFTELUȚE VEGETARIENE DELICIOASE sunt ideale ca aperitiv ușor sau ca parte a unui aperitiv meze. Pentru a le prepara, prăjiți-le dinainte și reîncălziți-le la cuptor, la foc mic, până când sunt gata de servire.

5–6 PORȚII

3 dovlecei courgette medii sau
   2 dovlecei courgette mari,
   de aproximativ 500 g
sare de mare și piper negru
2 linguri de ulei de măsline, plus
   o cantitate suplimentară pentru
   prăjirea chiftelelor
1 ceapă mare, curățată
   și tăiată Julien
3 ouă mari
200 g de brânză feta, tăiată cubulețe
1 mână de frunze de mentă
   tocate
1 mână de mărar tocat
2 linguri de muguri de pin
3–4 linguri de făină albă

Pentru ornat:
lămâie tăiată felii, pe lung
fire de pătrunjel (opțional)

Curățați dovleceii courgette și radeți-i mare, într-o sită așezată deasupra unui bol. Presărați deasupra un praf de sare, amestecați bine și lăsați-i să stea aproximativ 10 minute. (Sarea vă va ajuta să scoateți apa în exces.) Stoarceți în pumn dovleceii rași pentru a îndepărta zeama, apoi puneți-i într-un bol mare.

Între timp, încingeți 2 linguri de ulei de măsline într-o cratiță lată și căliți ceapa cu puțină sare și piper, 5–6 minute, până când se înmoaie. Lăsați-o să se răcească puțin, apoi adăugați dovleceii și amestecați bine.

În compoziția cu dovlecei, puneți ouăle, brânza feta, verdețurile tocate, mugurii de pin și 3 linguri de făină. Adăugați o cantitate suficientă de piper și amestecați bine până când se omogenizează. (Pentru că brânza feta este sărată, probabil că nu veți avea nevoie să adăugați sare.) Dacă aluatul pare prea umed, adăugați încă o lingură de făină și amestecați bine.

Încingeți un strat subțire de ulei de măsline într-o tigaie mare. Va trebui să prăjiți chiftelele în tranșe: puneți câteva linguri de compoziție în tigaie, lăsând spațiu între ele, și prăjiți-le 2–3 minute pe fiecare parte, până când se rumenesc. Transferați-le pe o farfurie caldă pe care ați pus hârtie-prosop și păstrați-le la cald până sunt gata toate; ar trebui să iasă 20–24 de bucăți.

Serviți chifteluțele calde, garnisite cu felii groase de lămâie și, eventual, cu un fir de pătrunjel.

Rulouri cu spanac și brânză feta

ÎN MAROC, ACESTEA SE PREPARĂ cu o foaie de aluat warka și cu o umplutură simplă de brânză, însă aici am folosit foi de aluat franțuzesc, deoarece sunt mai accesibile, și am adăugat spanac în umplutură, pentru a-i îmbunătăți gustul. Serviți-le ca aperitiv sau ca meze.

4–6 PORȚII

1 lingură de ulei de măsline
150 g de frunze de spanac spălate și uscate
200 g de brânză feta
1 ou mare, bătut
1 legătură mică de verdețuri amestecate, de exemplu, frunze tocate de mentă, pătrunjel și mărar
sare de mare și piper negru
puțină scumpie (opțional)
6 foi de aluat franțuzesc
100 g de unt nesărat, topit

Încingeți o tigaie și adăugați uleiul. Când acesta este fierbinte, adăugați spanacul și amestecați până când se înmoaie. Așezați-l într-o strecurătoare și apăsați cu o lingură pentru a îndepărta zeama în exces, apoi uscați-l cu hârtie-prosop. Tocați mărunt spanacul și puneți-l într-un bol mare. Lăsați-l să se răcească.

Preîncălziți cuptorul la 200ºC (cuptor electric)/treapta 6 (cuptor cu gaz). Sfărâmați brânza feta peste spanac și adăugați oul, verdețurile tocate, sare și piper și puțină scumpie, dacă doriți.

Lucrați cu câte două foi de aluat odată, păstrându-le pe celelalte acoperite cu un șervet de bucătărie, pentru a nu se usca. Ungeți cu unt topit o foaie de aluat franțuzesc, apoi adăugați-o pe cealaltă deasupra. Ungeți-o și pe aceasta din nou cu unt topit, apoi tăiați ambele straturi în 4 dreptunghiuri egale.

Puneți o lingură de umplutură de brânză feta și spanac la capătul câte unui dreptunghi de aluat, lăsând o margine de 2 cm pe ambele părți. Rulați aluatul peste umplutură cât să o închideți, apoi pliați ambele capete și continuați să rulați, ca și cum ați face o țigaretă. Așezați-le pe o hârtie pergament mare și ungeți-le din nou cu unt topit. Repetați procesul cu restul de foi de aluat, folosind toată umplutura; ar trebui să aveți suficientă umplutură pentru 12 rulouri.

Dați rulourile la cuptor 20–30 de minute, până când devin fragede și rumene. Ideal este să le serviți calde, proaspăt scoase din cuptor.

Falafel cu sos tahini

FALAFELUL ESTE RELATIV SIMPLU DE PREPARAT și mult mai gustos decât ciudatele versiuni gata preparate din supermarketuri sau fast-fooduri. Pentru a obține consistența autentică și aromată, trebuie să folosiți năut pus la înmuiat cu o seară înainte și uscat, dar nu este necesar să îl fierbeți înainte de a prepara falafelul.

4–5 PORȚII

Falafel:

300 g de năut uscat, ținut
    peste noapte în multă apă
sare de mare și piper negru
2 lingurițe de mentă uscată
2 lingurițe de chimion măcinat
2 lingurițe de coriandru măcinat
1 linguriță de bicarbonat de sodiu
coaja rasă fin de la 1 lămâie
2 căței de usturoi, curățați și tocați
    mărunt
jumătate de ceapă, curățată
    și tocată mărunt
1 legătură mică de frunze
    de coriandru, tocate
ulei vegetal sau ulei de arahide,
    pentru prăjit

Sos tahini:

1 lingură de tahini (pastă de semințe
    de susan)
3 linguri de iaurt grecesc
1–2 linguri de zeamă de lămâie,
    pentru gust
1 linguriță de miere
1–2 linguri de apă caldă (opțional)

Clătiți și scurgeți năutul, apoi clătiți-l din nou foarte bine. Puneți-l într-un mixer și amestecați-l cu un praf de sare până obțineți o compoziție de consistența pesmetului nu foarte fin. Adăugați restul ingredientelor, cu excepția uleiului, și amestecați-le până când se omogenizează bine și capătă o consistență rugoasă, dar fină.

Adăugați amestecul într-un bol mare și potriviți de sare și piper. Acum formați chifteluțe, cam de mărimea unei mingi de golf. Așezați-le într-o tavă, acoperiți tava cu folie alimentară și lăsați-le la rece 30 de minute, pentru a se întări.

Pentru sosul tahini, amestecați toate ingredientele într-un bol până la omogenizare și asezonați-le cu sare și piper, după gust. Pentru o consistență mai subțire, dacă este necesar, mai adăugați 1–2 lingurițe de apă călduță.

Pentru a pregăti falafelul, încingeți într-o tigaie un strat de ulei de aproximativ 2 cm. Veți avea nevoie să le prăjiți în mai multe reprize. Scufundați cu atenție câteva chiftele falafel în uleiul încins, câte una o dată. Prăjiți-le 4–5 minute, întorcându-le din când în când, până se rumenesc și devin crocante. Scoateți-le pe o hârtie-prosop și păstrați-le la cald, în cuptor la foc mic, în timp ce le prăjiți pe restul.

Serviți chifteluțele de năut cu sos tahini. Pe post de garnitură, puteți folosi pită caldă și o salată mixtă cu puțin sos tahini deasupra, dacă vă place.

Cum se împachetează sărmăluțele în foi de viță

Așezați pe o suprafață curată o frunză de viță-de-vie, cu partea lucioasă în jos. Puneți o lingură cu vârf de umplutură în mijlocul frunzei, aproape de marginea nervurii. Pliați deasupra capătului nervurii pentru a acoperi umplutura, apoi îndoiți ambele capete ale frunzei de viță-de-vie și rulați-o ca pe o țigară. Repetați procesul cu restul de frunze de viță și cu restul de umplutură.

Sărmăluțe în foi de viță
(dolmádes)

ACESTE FRUNZE DE VIȚĂ-DE-VIE UMPLUTE nu sunt greu de preparat, însă rularea lor necesită timp, mai ales pentru mine, deoarece folosesc dublul ingredientelor din rețetă, pentru a ajunge la toată lumea. Eu încerc să le transform într-un eveniment de familie și cer adesea ajutorul copiilor – cea mai bună metodă de a-i convinge că un anumit preparat este chiar bun. Dacă nu folosiți orez prefiert, veți avea nevoie de aproximativ 200 g de orez crud.

4 PORȚII

230 g de frunze de viță-de-vie, în saramură

2 linguri de ulei de măsline, plus o cantitate suplimentară pentru stropit pe deasupra

1 ceapă mare curățată și tocată mărunt

2 căței de usturoi, curățați și tocați mărunt

400 g de orez alb prefiert, preferabil cu bob lung

100 g de muguri de pin prăjiți

100 g de stafide

1/4 de linguriță de amestec de mirodenii măcinate

1/2 de linguriță de scorțișoară măcinată

puțin zahăr tos

2 roșii coapte, curățate, fără semințe și tocate

1 mână de frunze de pătrunjel tocate

1 mână de frunze de mentă tocate

sare de mare și piper negru

aproximativ 300 ml de supă de legume

zeama de la jumătate de lămâie, plus o cantitate suplimentară pentru a stropi pe deasupra

ulei de măsline extravirgin, pentru a stropi deasupra

Baba ganoush (sus); dolmades (la stânga); tabbouleh (la dreapta)

Pentru a îndepărta sarea în exces din frunzele de viță-de-vie, puneți-le într-un bol mare și turnați peste ele apă fiartă până le acoperiți. Lăsați-le să se îmbibe câteva minute, apoi scurgeți-le cu atenție. Clătiți-le sub un jet de apă rece și scurgeți-le din nou.

Încingeți uleiul de măsline într-o cratiță și căliți la foc mic ceapa și usturoiul câteva minute, amestecând din când în când până se înmoaie. Puneți-le într-un bol și adăugați orezul prefiert, mugurii de pin, stafidele, amestecul de mirodenii, scorțișoara, zahărul, roșiile, verdețurile, sare și piper. Gustați și potriviți de sare și piper (pentru că sărmăluțele vor fi servite reci, va trebui să le asezonați din belșug).

Acum umpleți frunzele de viță-de-vie cu amestecul de orez, urmând instrucțiunile de la paginile precedente.

Așezați un prosop de bucătărie curat și umed pe fundul unei cratițe mari, cu marginile atârnând în afară. Așezați deasupra frunzele de viță, în straturi. Adăugați supa de legume, zeama de lămâie și o picătură de ulei de măsline.

Acoperiți sărmăluțele cu o hârtie pergament, apoi puneți o farfurie termo-rezistentă mică înăuntrul cratiței, deasupra lor. (Astfel veți evita desfacerea sărmăluțelor atunci când stau la foc.) Acoperiți cratița cu un capac și lăsați-o o oră la foc mic.

Scoateți farfuria, apoi luați cu atenție sărmăluțele din cratiță, ridicând prosopul de bucătărie. Transferați-le într-o tavă și lăsați-le să se răcească măcar câteva ore sau peste noapte, dacă le preparați din timp.
Scoateți sărmăluțele din frigider cam cu 10 minute înainte de a le consuma. Pentru a servi, stropiți-le puțin ulei de măsline extravirgin și zeamă de lămâie.

Baba ganoush

DIN LEVANT ȘI PÂNĂ ÎN TURCIA ȘI EGIPT, acest minunat sos de vinete este faimos în întregul Orient Mijlociu. Desigur, există ușoare variațiuni în privința mirodeniilor și a ingredientelor întrebuințate, în funcție de locul în care vă aflați. Vinetele pot fi coapte sau fripte pe grătar, preparate la foc mare, până când pulpa este moale și afumată. Preparați sosul dinainte și serviți-l la temperatura camerei.

4–6 PORȚII

2 vinete mari, de aproximativ
600–650 g
puțin ulei, pentru uns
zeama de la jumătate de lămâie
(sau după gust)
1 1/2 lingură de tahini (pastă
de semințe de susan)
2 linguri de iaurt natural
2 căței de usturoi mari, curățați
și zdrobiți
1 fir de cimbru (frunze)
sare de mare și piper negru

Pentru ornat:
ulei de măsline extravirgin pentru
stropit pe deasupra
puțină scumpie sau puțin pătrunjel
tocat, pentru a presăra pe deasupra

Preîncălziți cuptorul la 200ºC (cuptor electric)/treapta 6 (cuptor cu gaz). Înțepați fiecare vânătă de mai multe ori cu vârful unui cuțit ascuțit, apoi așezați-le pe amândouă pe o tavă de copt unsă ușor cu ulei. Dați-le la cuptor 45–60 de minute, întorcându-le din când în când, până când coaja se zbârcește, iar vinetele se simt moi la o apăsare ușoară; ele ar trebui să crape puțin.

Lăsați vinetele până se răcesc suficient pentru a fi mânuite, apoi îndepărtați coaja neagră și puneți pulpa într-o strecurătoare. Apăsați-le cu o lingură pentru a îndepărta cât mai mult lichid posibil, apoi așezați-le pe un tocător și tocați-le bine (sau, dacă preferați, amestecați-le într-un blender, pentru o consistență mai fină).

Puneți vânăta tocată într-un bol și adăugați zeama de lămâie, sosul tahini, iaurtul, usturoiul, cimbrul și mirodeniile. Amestecați bine, apoi gustați și potriviți de sare și piper. (Acoperiți-le și păstrați-le la rece dacă nu le serviți imediat.)

Turnați baba ganoush într-un bol și stropiți cu puțin ulei de măsline extravirgin. Presărați puțină scumpie sau pătrunjel tocat pentru a garnisi și serviți cu pită caldă.

Ilustrația se află la pagina 142

Tabouleh

O MINUNATĂ SALATĂ DE BULGUR, plină de verdețuri proaspete, tocate, ceapă verde și roșii. Rețetele tradiționale de tabouleh conțin bulgur măcinat fin, disponibil în magazinele de delicatese și în băcăniile din Orientul Mijlociu, dacă preferați această variantă. Ideal este să preparați salata cât mai aproape de momentul în care o veți servi, deoarece zeama de lămâie va decolora în timp verdețurile. Serviți acest fel de mâncare ca parte din meze ori ca garnitură la preparate din pește sau carne.

4–6 PORȚII

75 g de bulgur

250 g de roșii-prunișoară coapte

zeama de la jumătate de lămâie (sau după gust)

3 linguri de ulei de măsline extravirgin

sare de mare și piper negru

3 fire de ceapă verde, curățate

1 legătură de pătrunjel, aproximativ 75 g

1 legătură de mentă, aproximativ 75 g

semințele de la o jumătate de rodie, pentru a garnisi (opțional)

Puneți bulgurul într-un bol, turnați apă fiartă peste el, apoi acoperiți bolul cu o folie alimentară și lăsați boabele să se îmbibe 10 minute. Puneți bulgurul într-o strecurătoare și scurgeți-l bine, apoi mutați-l din nou în bol.

Tăiați roșiile cubulețe mici și adăugați bulgurul împreună cu zeama de lămâie, uleiul de măsline extravirgin și puțină sare și piper. Amestecați-le bine cu o furculiță, apoi lăsați bulgurul să absoarbă sucurile aromate și să se mai înmoaie puțin. Gustați și potriviți de sare și piper.

Între timp, cu un cuțit ascuțit, tocați mărunt ceapa verde și ceva mai mare frunzele de pătrunjel și de mentă. Înainte de servire, amestecați verdețurile cu bulgurul și garnisiți cu semințele de rodie, dacă doriți.

Ilustrația se află la pagina 142

Barbun la tigaie cu pilaf de șofran și sos tarator

ÎN LIBAN ȘI TURCIA, PEȘTII AUTOHTONI sunt adesea prăjiți și serviți cu sos tarator și orez cu șofran. Eu vă propun acum fileuri de barbun, însă în acest mod poate fi pregătit orice pește cu carne albă, tare. Păstrați sosul rămas, pentru a-l servi cu friptură de porc sau de pui la grătar.

4 PORȚII

4 fileuri de barbun cu piele, fiecare de aproximativ 400 g

2 linguri de făină albă

1/2 de linguriță de chimion măcinat

1/2 de linguriță de ghimbir măcinat

1/2 de linguriță de scorțișoară măcinată

sare de mare și piper negru

2–3 linguri ulei de măsline

Pilaf cu șofran:

4 linguri de ulei de măsline

2 cepe mari, curățate și tocate mărunt

300 g de orez cu bob lung

600 ml de supă fierbinte de pui sau de legume

câteva fire de șofran

75 g de muguri de pin, prăjiți

1 mână de frunze de pătrunjel tocate

Sos tarator:

4 linguri de tahini (pastă de semințe de susan)

50 g de muguri de pin prăjiți

3 linguri de zeamă de lămâie (sau după gust)

1 cățel de usturoi, curățat și tocat

1/2 de linguriță de chimion măcinat

1 vârf de cuțit de piper de Cayenne

3–4 linguri de apă fiartă

Uitați-vă cu atenție dacă peștele are oase mici și îndepărtați-le cu o pensetă. Lăsați-l deoparte la temperatura camerei cât timp preparați pilaful.

Pentru pilaful cu șofran, încingeți jumătate din cantitatea de ulei de măsline într-o cratiță medie cu fund gros. Adăugați ceapa și un praf de sare și piper și căliți-o 5–6 minute, până începe să se înmoaie. Adăugați restul de ulei și orezul. Amestecați bine și lăsați cratița pe foc 1 minut, amestecând continuu, apoi puneți supa și șofranul. Lăsați cratița la foc mic 8–10 minute, acoperită cu un capac etanș, până când cea mai mare parte din supă s-a evaporat. Închideți aragazul și lăsați orezul încă 5 minute la aburi în cratița acoperită.

În timp ce fierbe orezul, preparați sosul tarator. Puneți într-un mixer toată cantitatea de tahini, mugurii de pin, zeama de lămâie, usturoiul, chimionul, piperul de Cayenne, sare și piper și amestecați-le la viteză mare. Adăugați apa, câte o lingură o dată, până când sosul capătă consistența unei maioneze ușoare. Gustați și, dacă vi se pare necesar, mai puneți puțină zeamă de lămâie sau sare. Puneți sosul într-un bol de servit.

Cu aproximativ 5 minute înainte ca orezul să fie gata, prăjiți peștele. Asezonați făina cu chimion, ghimbir, scorțișoară, puțină sare și piper și folosiți-o pentru a îmbrăca fileurile de pește. Încingeți uleiul de măsline într-o tigaie mare. Prăjiți fileurile maximum 2 minute pe fiecare parte, până când se rumenesc și se pătrund; peștele trebuie să fie tare la atingere.

Serviți barbunul cu orez cu șofran și cu o lingură cu vârf de sos tarator alături. Presărați deasupra câțiva muguri de pin și pătrunjel tocat. Puneți sosul rămas într-un bol pe masă, pentru ca invitații să se poată servi dacă mai doresc.

Tagine de miel cu caise și cuscuș cu verdețuri

MIELUL ȘI FRUCTELE SE COMBINĂ DE MINUNE. Acest preparat cuprinde însă și câteva lămâi conservate, pentru a contrabalansa dulceața fructelor uscate. În sezonul caiselor, puteți folosi în schimb 200 g de caise proaspete: tăiați-le în felii mari, scoateți sâmburii și adăugați-le în friptură când mielul este frăgezit – ele necesită doar câteva minute pentru a se înmuia; de asemenea, poate fi necesar să mai adăugați și puțină miere.

4 PORȚII

900 g de pulpă de miel
2 linguri de făină albă
sare de mare și piper negru
4 linguri de ulei de măsline
1 ceapă mare, curățată și tăiată Julien
2 căței de usturoi, curățați și zdrobiți
1 lingură de rădăcină de ghimbir
    proaspăt ras
1 1/2 linguri de ras el hanout
    (amestec marocan de mirodenii)
1 1/2 linguri de pastă de tomate
aproximativ 800 ml de supă de miel
    sau de pui
100 g de caise uscate, tăiate
zeamă de lămâie
2 linguri de miere (sau după gust)

Cuscuș cu verdețuri:
500 ml de supă de pui sau de legume
300 g de cuscuș
1 mână de frunze de pătrunjel
1 mână de frunze de mentă
puțin coriandru
coaja rasă fin de la 1 lămâie
2 lingurițe de zeamă de lămâie
2 linguri de ulei de măsline
    extravirgin

Tăiați carnea de miel în bucățele mici. Asezonați făina cu sare și piper și folosiți-o pentru a îmbrăca mielul. Încingeți jumătate din cantitatea de ulei de măsline într-o cratiță cu fund gros sau într-un vas termorezistent și rumeniți carnea în tranșe, întorcând-o astfel încât să se coloreze uniform, apoi puneți-o pe o farfurie.

Puneți în cratiță ceapa și încă puțin ulei, dacă este necesar, și căliți-o 5 minute până când începe să se înmoaie. Adăugați usturoiul, ghimbirul, amestecul ras el hanout și pasta de tomate și căliți-le câteva minute până când aromele se amestecă. Puneți din nou în cratiță mielul și tot sucul și amestecați bine.

Turnați supă cât să acoperiți totul și dați în clocot, apoi reduceți flacăra și lăsați cratița la foc mic. Spumuiți des, până când supa este curată, apoi acoperiți parțial cratița cu un capac și lăsați-o 1 1/2 ore la foc mic, amestecând din când în când.

Adăugați caisele, lămâile conservate, zeama de lămâie și mierea, după gust. Lăsați cratița la foc mic, neacoperită, încă 30–45 de minute, amestecând constant, până când mielul se frăgezește. Gustați și potriviți de sare și piper.

Pentru a pregăti cuscușul, dați mai întâi supa în clocot. Puneți cuscușul într-un bol mare, apoi turnați supa. Acoperiți strâns bolul cu folie alimentară și lăsați-l așa 10–15 minute, până când supa a fost absorbită. Între timp, rupeți frunzele de verdețuri și tocați-le.

Amestecați cuscușul cu o furculiță pentru a dezlipi boabele, apoi adăugați verdețurile, coaja de lămâie, sare și piper. Turnați zeama de lămâie cu uleiul de măsline extravirgin, apoi mai amestecați o dată cu furculița prin cuscuș, potrivind de sare și piper. Serviți cu tagine de miel.

Prăjitură turcească cu iaurt și sirop de citrice

ACEASTĂ PRĂJITURĂ DENSĂ ȘI CREMOASĂ, PREPARATĂ cu iaurt, are o consistență asemănătoare cu cea a unei prăjituri cu brânză. Siropul de citrice face ca suprafața ei să strălucească și îi conferă o aromă dulceagă. Păstrați tot siropul rămas pentru a-l turna peste înghețată de vanilie, peste iaurt simplu sau peste clătite la micul dejun.

8 PORȚII

unt, pentru uns
6 ouă mari, gălbenușurile separate
   de albușuri
150 g de zahăr tos
75 g de făină cu drojdie incorporată
600 g de iaurt natural
coaja rasă fin și zeama de la 1 lămâie
1 vârf de cuțit de sare de mare fină

Sirop de citrice:
125 g de zahăr tos
125 ml de apă
coaja rasă fin și zeama de la
   1 lămâie
coaja rasă fin și zeama de la
   1 portocală
1 linguriță de apă de flori de portocal
   (sau de trandafir)

Preîncălziți cuptorul la 190ºC (cuptor electric)/treapta 4 (cuptor cu gaz). Ungeți baza și pereții unei forme de tort rotunde cu diametrul de 23–25 cm și cu fund detașabil și puneți la baza formei hârtie pergament.

Folosind un mixer electric, bateți gălbenușurile cu zahărul, până obțineți o compoziție cremoasă și mată. Cerneți făina deasupra și încorporați-o treptat în compoziție. Adăugați iaurtul, coaja și zeama de lămâie și amestecați.

În alt bol mare și curat, bateți albușurile cu un praf de sare, până se întăresc. Amestecați-le cu atenție în compoziția de prăjitură, folosind o lingură de inox mare.

Turnați amestecul în forma de tort pregătită și nivelați ușor suprafața. Dați prăjitura la cuptor 50–60 de minute, până se rumenește pe deasupra, crește și este bine coaptă. Pentru a testa dacă este gata, înțepați-o cu o scobitoare – aceasta trebuie să iasă curată. Nu scoateți prăjitura din formă până nu se răcește bine; ea se va lăsa puțin pe măsură ce se răcește.

Cât timp prăjitura este la copt, preparați siropul de citrice. Puneți toate ingredientele într-o oală și dați-le în clocot. Micșorați ușor flacăra și lăsați oala la foc mic 7–10 minute, până când lichidul scade cu o treime și capătă consistență de sirop. Lăsați-l să se răcească, apoi turnați-l într-un bol de servit.

Răsturnați prăjitura pe o un platou sau pe o farfurie și puneți uniform cu o lingură puțin sirop pe întreaga suprafață. Dacă preferați, serviți prăjitura cu smântână grasă ori cu iaurt gros alături.

Prăjitură cu migdale și griș

ACEASTĂ DELICIOASĂ PRĂJITURĂ LIBANEZĂ este cunoscută cu numele de sfouf și își capătă culoarea galbenă de la cantitatea mică de curcuma adăugată. Este o prăjitură destul de mare, dar se menține bine la frigider, într-un recipient etanș, până la 5 zile. Serviți-o cu ceai de mentă fierbinte sau cu o cafea turcească, la sfârșitul mesei sau la gustare.

10–12 PORȚII

unt, pentru uns
450 g de griș fin
150 g de făină albă
1 linguriță de curcuma măcinată
2 lingurițe de praf de copt
450 g de zahăr tos
550 ml de lapte integral
2 ouă mari, bătute ușor
200 g de unt ușor sărat, topit
1 linguriță de apă de flori de portocal (sau de trandafir)
25 g de fulgi de migdale
2 lingurițe de gem de caise, încălzit, pentru glazurat (opțional)

Pentru ornat (opțional):
iaurt gros
miere lichidă

Preîncălziți cuptorul la 190ºC (cuptor electric)/treapta 4 (cuptor cu gaz). Ungeți cu un strat subțire de unt o tavă pătrată de 23 cm (sau o tavă rotundă de 24 cm), preferabil cu fund detașabil, și puneți la bază hârtie pergament.

Într-un castron mare, amestecați grișul, făina, curcuma și praful de copt. Faceți o gaură pe mijloc.

În alt bol, puneți laolaltă zahărul, laptele, ouăle, untul topit și apa de flori de portocal până obțineți un amestec omogen. Vărsați compoziția în gaura formată în celălalt castron și amestecați-le ușor până se omogenizează bine. Turnați amestecul în tava pregătită și presărați migdalele la suprafață.

Dați prăjitura la cuptor 40–50 de minute, până când se rumenește la suprafață și se coace bine. Pentru a verifica dacă este gata, înțepați-o cu o scobitoare – aceasta trebuie să iasă curată. Lăsați-o în tavă 15–20 de minute înainte de a o muta pe un grătar, la răcit. Dacă doriți, ungeți suprafața prăjiturii cu puțin gem de caise, pentru a o glazura.

Feliați prăjitura și serviți-o – simplă sau cu o lingură de iaurt peste care ați turnat puțină miere.

BUCĂTĂRIA CHINEZEASCĂ

O MASĂ LA RESTAURANTUL CHINEZESC DIN ORAȘ ESTE ÎNTOTDEAUNA UN RĂSFĂȚ – COPIII ADORĂ ACEASTĂ MÂNCARE, IAR EU ÎI ÎNCURAJEZ DE FIECARE DATĂ SĂ ÎNCERCE CEVA NOU. CUM CHINA ESTE O ȚARĂ ATÂT DE VASTĂ, MÂNCAREA VARIAZĂ SEMNIFICATIV DE LA O REGIUNE LA ALTA. GHIMBIRUL, USTUROIUL ȘI CEAPA VERDE SUNT INGREDIENTE NELIPSITE. ÎMPREUNĂ CU NUMEROASE SOSURI DE SOIA, ACESTEA SUNT UTILIZATE PENTRU A CREA TOT FELUL DE PREPARATE DELICIOASE. DACĂ PREGĂTIȚI O SINGURĂ REȚETĂ DIN ACEST CAPITOL, ALEGEȚI BURTA DE PORC – SE TOPEȘTE ÎN GURĂ, IAR AROMA ESTE SUBLIMĂ.

Supă de porumb dulce și crab

CREATĂ INIȚIAL DE EMIGRANȚII CHINEZI din America, această supă simplă apare acum în meniurile restaurantelor chinezești din majoritatea țărilor. Crema de porumb dulce oferă consistența perfectă pentru supă, dar, dacă este greu de procurat, cumpărați boabe de porumb la conservă și pasați-le într-un mixer până când obțineți un piure gros.

4–6 PORȚII

125 g de carne de crab albă

2 albușuri mari

1 lingură de făină de porumb, amestecată cu 2 linguri de apă

1,2 litri de supă de pui

1 rădăcină de ghimbir proaspăt, de 2,5 cm, curățată și rasă

1 conservă de 225 g de cremă de porumb dulce

sare de mare și piper alb

2 fire de ceapă verde, curățate și feliate fin

Rupeți carnea de crab și îndepărtați orice rest de carapace. Într-un bol, bateți ușor albușurile până se obține o spumă. Adăugați-le alături de carnea de crab și de făina de porumb și amestecați bine.

Turnați supa în cratiță, puneți ghimbirul și lăsați cratița la foc mic. Adăugați porumbul dulce și dați în clocot. Micșorați ușor flacăra și lăsați cratița la foc mic câteva minute. Adăugați amestecul de carne de crab, sare și piper. Fierbeți la foc mic, amestecând, câteva minute, până când se îngroașă supa. Gustați și potriviți de sare și piper.

Turnați supa în boluri mici și presărați deasupra felii de ceapă verde. Serviți-o imediat.

Calmari crocanți sărați și piperați
cu salată de castraveți

CALMARII PRĂJIȚI ÎN BAIE DE ULEI REPREZINTĂ UN PREPARAT FOARTE APRECIAT
și aproape orice bucătărie pare să aibă câte o versiune diferită. Aici, piperul de Sichuan și amestecul de cinci condimente dau calmarilor o aromă deosebită. Când prăjiți în baie de ulei, mențineți uleiul la o temperatură ridicată, constantă, pentru a vă asigura că toată carnea este pătrunsă și se rumenește rapid. Aveți grijă să nu o ardeți, pentru că va deveni dură și va avea consistență de cauciuc.

4 PORȚII

400 g de calmari mici, curățați
1/2 de linguriță de boabe de piper de Sichuan
1 linguriță de sare de mare
1 linguriță de piper negru proaspăt măcinat
1/4 de linguriță de amestec de cinci condimente
5 linguri cu vârf de făină de porumb
ulei vegetal sau ulei de arahide, pentru prăjit în baie de ulei

Salată de castraveți:

1 castravete mediu
1 morcov mediu
1 ardei roșu mediu, fără semințe și feliat fin
1 mână de frunze de coriandru
3 linguri de oțet de orez
1/2 de linguriță de sare de mare
1 linguriță de zahăr tos
1 linguriță de ulei de susan

Pentru ornat:

1 ardei roșu, curățat și feliat fin
1 mână de frunze de coriandru
lămâi tăiate felii, pe lung

Preparați mai întâi salata de castraveți. Curățați castravetele și morcovul, apoi tăiați-le în felii lungi, folosind un cuțit de cojit sau o răzătoare. Tăiați feliile pe din două dacă sunt prea lungi. Într-un bol, amestecați-le cu ardeiul roșu și cu frunzele de coriandru. Într-un castron mic, amestecați oțetul de orez, sare, zahărul și uleiul de susan și lăsați bolul deoparte.

Feliați calmarii în inele groase, lăsând tentaculele întregi. Scurgeți bucățile și uscați-le cu hârtie-prosop. Folosind un pisălog și un mojar, zdrobiți boabele de piper de Sichuan cu sare, până obțineți o pudră fină. Puneți-o într-un bol mic și amestecați-o cu piperul negru, cu amestecul de cinci condimente și cu făina de porumb.

Încingeți un strat de ulei de 5 cm într-un wok, la foc mare, până când o bucată de pâine scăpată în uleiul încins sfârâie puternic. Prăjiți în mai multe reprize, în baie de ulei, inelele de calmar și tentaculele: dați-le prin făina asezonată, scuturați făina în exces, apoi puneți-le în uleiul încins, având grijă să nu supraaglomerați wokul. Prăjiți-le în baie de ulei aproximativ 1 minut, până când se rumenesc ușor și devin crocante, apoi scoateți-le cu o paletă și scurgeți-le pe o hârtie-prosop. Păstrați-le la căldură în cuptor, cât timp prăjiți restul inelelor.

Amestecați salata de castravete cu sosul și împărțiți-o pe farfurii. Puneți inelele de calmar crocante deasupra și presărați peste ele frunzele de coriandru și feliile de ardei roșu. Serviți cu lămâi tăiate felii, pe lung.

Cum se prepară găluștele chinezești

Pe o suprafață tapetată cu puțină făină, rulați foaia de aluat până obțineți un rulou lung, cu o grosime de aproximativ 2,5 cm. Tăiați-l fâșii de 2 cm. Aplatizați fiecare bucată cu palma, apoi formați un disc subțire, cu diametrul de aproximativ 9 cm.

Puneți cam o lingură de umplutură în centrul fiecărui disc și ungeți cu puțină apă marginile aluatului, apoi uniți-le, formând o semilună care are umplutura înăuntru. Acum apăsați marginile de aluat cu degetele, formând pliuri mici pe margine. Lăsați-le deoparte. Repetați procesul cu restul de aluat, pentru a forma și restul de găluște.

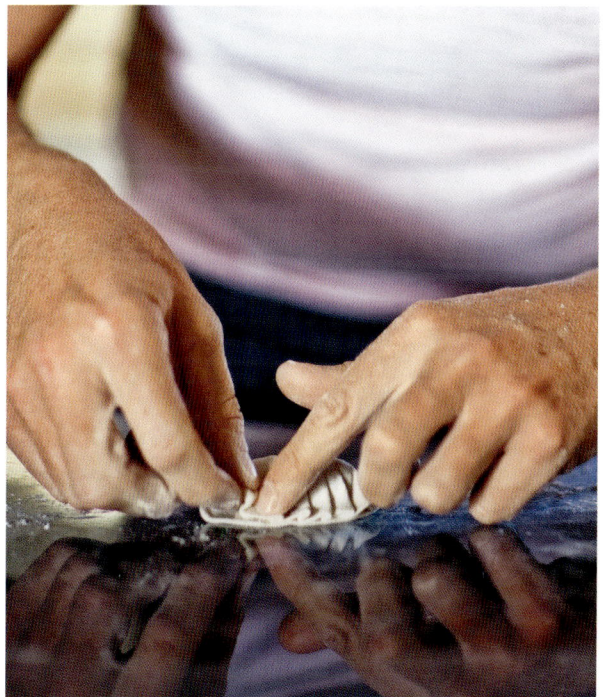

Găluște cu **porc** și **creveți**

PREPARAREA ACESTOR GĂLUȘTE este o adevărată artă, necesitând răbdare, timp și exercițiu. Dacă faceți acest efort, merită să pregătiți o cantitate semnificativă, urmând să congelați o parte dintre găluște pentru a le folosi cu altă ocazie. Congelați găluștele crude într-o tavă tapetată cu hârtie pergament, apoi depozitați-le într-un recipient adecvat. Decongelați-le la temperatura camerei înainte de a le găti.

30–35 DE PORȚII

Aluat:

300 g de făină albă, plus o cantitate suplimentară pentru pudrat

1 linguriță de sare de mare fină

1 lingură de ulei vegetal

120–150 ml de apă rece

Umplutură:

200 g de frunze de varză chinezească

sare de mare și piper alb

250 g de carne tocată de porc

200 g de creveți cruzi, curățați și decorticați și tocați mărunt

1 bucată de 3 cm de rădăcină de ghimbir, curățată și rasă

1 linguriță de zahăr brun

2 linguri de sos de soia

1 lingură de vin de orez chinezesc (sau vin de Xeres sec)

2 lingurițe de ulei de susan

Sos:

2 linguri de ulei de ardei iute roșu

1 lingură de sos de soia

1 cățel de usturoi mare, curățat și tocat mărunt

1 fir de ceapă verde, curățat, doar partea verde feliată fin

Pentru a pregăti aluatul de găluște, amestecați făina cu sarea, într-un bol mare, și faceți o gaură pe mijloc. Turnați uleiul și 120 ml de apă. Amestecați până când compoziția se omogenizează și se întărește. Mai adăugați puțină apă dacă aluatul vi se pare prea uscat. Frământați aluatul 5–10 minute pe o suprafață tapetată ușor cu făină, până când devine lucios. Formați o minge, înveliți-o în folie de plastic și lăsați-o deoparte cât timp pregătiți umplutura.

Pentru umplutură, adăugați frunzele de varză într-o oală cu apă fiartă și lăsați-le 2–3 minute până se înmoaie. Scurgeți-le bine și uscați-le cu hârtie-prosop. Tocați fin frunzele și puneți-le într-un bol mare. Adăugați restul de ingrediente pentru umplutură și amestecați bine. Pentru a vedea dacă mai trebuie sare și piper, prăjiți o chifteluță din amestec într-o tigaie cu ulei, apoi gustați. Potriviți de sare și piper amestecul crud, după gust.

Rulați foaia de aluat și formați găluștele, urmând instrucțiunile de la paginile precedente.

Va trebui să gătiți găluștele în mai multe tranșe. Înăbușiți-le 7–10 minute într-un recipient de bambus tapetat cu hârtie pergament, până se pătrund bine (sau, dacă preferați, le puteți cufunda într-o supă ușoară timp de 5 minute, după care trebuie să le scurgeți).

În timp ce găluștele sunt pe foc, amestecați toate ingredientele pentru sos și împărțiți sosul rezultat în boluri separate. Serviți găluștele proaspete și fierbinți, împreună cu sosul.

Plătică la aburi cu ghimbir și ceapă verde

PREPARAREA LA ABURI A UNUI PEȘTE ÎNTREG permite păstrarea tuturor aromelor sale minunate, precum și obținerea unui sos condimentat și delicios – numai bun pentru a fi turnat deasupra unei porții de orez alb, simplu.

4 PORȚII

1 plătică, eviscerată și curățată, de aproximativ 700 g
1 bucată de 4 cm de rădăcină de ghimbir, curățată
4 fire de ceapă verde, curățate
1 ardei roșu lung, fără semințe
2 linguri de vin de orez Shaoxing sau chinezesc (sau vin de Xeres sec)
2 linguri de sos de soia
2 linguri de ulei de susan

Crestați ușor peștele pe diagonală, cam la 2,5 cm, dar nu chiar până la os. Feliați ghimbirul, ceapa verde și ardeiul roșu pe lung, sub forma unor bețe de chibrit subțiri.

Presărați puțin ghimbir și ceapă verde pe o farfurie termorezistentă, suficient de mare încât să încapă peștele. Așezați plătica pe farfurie și umpleți-o cu puțin ghimbir, cu ceapă verde și cu ardei roșu. Stropiți peștele cu oțetul de orez și sosul de soia, apoi puneți pe deasupra restul de ghimbir, ceapă verde și ardei roșu.

Puneți un bol termorezistent întors într-un wok mare și turnați suficientă apă încât să se umple jumătate din bol. Puneți capacul la wok și dați în clocot. Acum puneți cu atenție farfuria cu peștele în wok, așezând-o peste bolul întors; aveți grijă să nu atingeți marginile wokului încins. Puneți din nou capacul și lăsați-l la abur, la foc mare, până când peștele este pătruns – un cuțit ar trebui să intre cu ușurință în cea mai groasă parte a cărnii. Această etapă ar trebui să dureze 10–15 minute.

Imediat ce peștele este gata, scoateți cu atenție farfuria de la abur. Încingeți uleiul de susan într-o cratiță mică, apoi turnați-l rapid peste pește. Puneți farfuria pe masă și serviți peștele imediat, cu orez și cu o garnitură de legume.

Burtă de porc roșie
înăbușită

FAIMOASĂ DEOARECE ERA MÂNCAREA PREFERATĂ A LUI MAO ZEDONG, aceasta este o specialitate a Hunanului, regiunea lui de baștină. Este irezistibil de îmbietoare și cu adevărat delicioasă. Savurați acest preparat, alături de un bol simplu de orez alb și pak choi sau o salată de legume gătită la foc iute.

4–6 PORȚII

800 g de burtă de porc
1 lingură de ulei vegetal
2 linguri de zahăr cubic
    (sau zahăr tos)
3 linguri de sos de soia light
3 linguri de sos de soia dark
1 rădăcină de ghimbir, curățată
    și feliată gros
2 fructe de anason
1 baton de scorțișoară
3 ardei iuți roșii, uscați
aproximativ 200 ml de apă
3 fire de ceapă verde, curățate și
    tocate

Dați în clocot o cratiță lată cu apă, apoi micșorați ușor flacăra. Puneți burta de porc în cratiță (tăiată pe jumătate, dacă nu încape întreagă) și lăsați-o la foc mic 3–4 minute. Îndepărtați spuma care se formează – și se va forma destulă. Scurgeți burta de porc și lăsați-o să se răcească puțin. Clătiți-o și puneți-o pe un tocător.

Tăiați burta de porc cubulețe de 2 cm. Încingeți uleiul și zahărul în tigaie, la foc domol. Când zahărul s-a topit și a început să se caramelizeze, adăugați bucățelele de burtă, cu partea cu șorici în jos, și prăjiți-le câteva minute, până când șoriciul începe să se caramelizeze.

Adăugați în cratiță sosul de soia, ghimbirul, anasonul, scorțișoara și ardeii iuți uscați și turnați suficientă apă cât să acoperiți carnea. Lăsați amestecul să fiarbă la foc mic aproximativ 50–60 de minute, până când carnea devine foarte fragedă.

Scoateți carnea cu o paletă și lăsați-o deoparte pe o farfurie. Fierbeți sosul până când scade și capătă consistența unui sirop, apoi gustați-l și mai puneți puțin zahăr dacă vi se pare prea sărat. Adăugați ceapa verde, păstrând o mână pentru ornat, și puneți din nou carnea de porc în tigaie, pentru a o încălzi.

Așezați burta de porc într-un bol cald, presărați ceapa verde și serviți imediat.

Rață friptă cú **cinci condimente** și **sos de prune**

ACEASTĂ RAȚĂ FRAGEDĂ ȘI AROMATĂ
merge perfect cu sosul meu de prune condimentat, proaspăt. Serviți-l cu castravete și fire de ceapă verde tăiate bețigaș și, dacă doriți, cu clătite subțiri chinezești, gata făcute. Orice cantitate rămasă poate fi transformată în tăiețel delicioși.

4-8 PORȚII

1 rață de aproximativ 2,25 kg
1 linguriță de sare de mare
1 linguriță de amestec de cinci condimente
1 linguriță de piper negru
1 lingură de sos de soia
2 linguri de miere
2 linguri de oțet negru chinezesc (sau zeamă de lămâie)

Sos de prune proaspete:
1 lingură de ulei vegetal
1 linguriță de rădăcină de ghimbir rasă
3 prune coapte, fără sâmburi și tocate
1/2 de linguriță de amestec de cinci condimente
1 baton de scorțișoară
2 fructe de anason
2 linguri de oțet de orez chinezesc
4 linguri de zahăr brun
1-2 linguri de apă

Pentru ornat:
câteva fire de ceapă verde tăiate bețigaș
un castravete tăiat fâșii subțiri

Preîncălziți cuptorul la 220ºC (cuptor electric)/treapta 7 (cuptor cu gaz). Îndepărtați grăsimea (pe cât posibil) din jurul gâtului rații. Într-un bol mic, amestecați sarea, cele cinci condimente și piperul. Crestați ușor pielea rății, apoi frecați-o cu amestecul de mirodenii, pe întreaga suprafață și în crestături.

Așezați rața cu pieptul în sus pe un grătar și puneți-o deasupra unei tăvi de copt. Dați-o la cuptorul încins și lăsați-o 30 de minute.

Între timp, amestecați într-un bol mic sosul de soia, mierea și oțetul chinezesc. Ungeți cu atenție rața cu amestecul de soia și turnați un pahar cu apă în tava de copt. Reduceți temperatura cuptorului la 190ºC (cuptor electric)/ treapta 5 (cuptor cu gaz) și mai coaceți rața încă 1 1/4–1 1/2 ore, ungând-o cam la fiecare 30 de minute, până când se frăgezește și se pătrunde bine.

Cât timp rața este la cuptor, preparați sosul de prune. Încingeți puțin ulei într-o tigaie, adăugați ghimbirul și lăsați-l să se rumenească ușor, aproximativ 1–2 minute. Adăugați prunele tocate, amestecul de cinci condimente, scorțișoara, anasonul, oțetul de orez și zahărul. Amestecați bine și lăsați tigaia la foc mic 15 minute, până când amestecul capătă o consistență groasă, ca gemul. Mutați-l într-un bol. Sosul poate fi servit cald sau la temperatura camerei.

Când rața este gata, acoperiți-o cu folie și lăsați-o la cald 15–20 de minute. Tăiați-o și așezați-o pe un platou. Presărați deasupra câteva fire tocate de ceapă verde și felii subțiri de castravete și serviți-o cu sos de prune.

5 feluri de a prepara verdețurile chinezești

Broccoli **chinezesc** cu **sos de stridii**

Curățați 450 g de broccoli (kai lan), spălați-l și curățați-l bine, apoi tăiați-l bucățele de lungimea unui deget. Într-un bol, amestecați 1 linguriță de vin de orez chinezesc (sau vin de Xeres sec), 1/4 de linguriță de zahăr tos, 3 lingurițe de sos de stridii și 1/2 de linguriță de ulei de susan cu 60 ml de supă de pui sau de legume. Într-un wok mare sau într-o tigaie, încingeți o linguriță de ulei de arahide, la foc potrivit. Adăugați 3 căței de usturoi zdrobiți și căliți-i până când se rumenesc ușor, apoi puneți o bucată de 3 cm de rădăcină de ghimbir rasă și lăsați 30 de secunde, după care adăugați bucățelele de broccoli chinezesc și căliți-le la foc iute 30 de secunde. Turnați sosul, puneți capacul și lăsați legumele la abur 2–3 minute, până când bucățile de broccoli se frăgezesc. Serviți imediat, cu orez preparat la aburi. **4 PORȚII**

Varză **chinezească la foc iute** cu **ghimbir**

Încingeți o linguriță de ulei de arahide într-un wok. Adăugați o bucată de 3 cm de rădăcină de ghimbir rasă și căliți-o la foc mare mai puțin de 1 minut, până când eliberează aroma. Amestecați 200 g de porumb baby, tăiat în două, pe lung, și 220 g de castane de apă la conservă, tăiate pe jumătate, și mai căliți-le 1 minut. Adăugați jumătate de varză chinezească feliată fin, 4 fire de ceapă verde feliate, 1 lingură de sos de soia light, 2 linguri de sos de stridii și 2 lingurițe de ulei de susan. Căliți totul la foc iute 2–3 minute, până când varza și porumbul sunt fragede. **4 PORȚII**

Pak choi înăbușit

Încingeți la foc potrivit câte o linguriță de ulei de susan și de ulei de arahide, într-o cratiță mare sau într-un wok. Adăugați o bucată de 2,5 cm de rădăcină de ghimbir rasă și 2 căței de usturoi tocați mărunt și căliți totul, amestecând, aproximativ 1 minut, până când eliberează aroma. Tăiați pe lung 450 g de varză chinezească (pak choi) și puneți-o într-o cratiță, cu partea tăiată în jos. Căliți-o un minut sau mai bine, amestecând din când în când. Turnați 60 ml de supă de pui sau de legume, 1 lingură de sos de soia light, 1 lingură de sos de soia dark și 1 lingură de zahăr brun și turnați peste pak choi. Lăsați cratița sau wokul la foc mic 4–5 minute, până când varza devine fragedă, dar nu prea moale. Serviți imediat. **4 PORȚII**

Verdețuri chinezești **picante**

Tăiați în trei 400 g de frunze de choi sum sau de pak choi. Adăugați-le într-o oală cu apă fiartă și lăsați-le 2–3 minute, până când frunzele se înmoaie, dar nervurile rămân ușor tari. Scurgeți-le, împrospătați-le în apă cu gheață și scurgeți-le din nou. Într-un wok sau într-o cratiță, încingeți la foc domol 2 linguri de ulei de arahide. Adăugați 3 căței de usturoi tocați mărunt și 2 ardei roșii feliați fin și căliți-i 30 de secunde până eliberează aroma. Puneți verdețurile înăbușite și amestecați bine. Adăugați 2 linguri de sos de soia, 1 lingură de sos de stridii și piper alb măcinat. Căliți-le la foc iute, până când verdețurile devin fierbinți. **4 PORȚII**

Spanac chinezesc **la foc iute**

Puneți un wok la foc mare și adăugați 1 linguriță și jumătate de ulei de arahide. Când uleiul se încinge, puneți 3 căței de usturoi tocați mărunt și amestecați 30 de secunde până când se rumenesc. Adăugați 500 g de spanac chinezesc și căliți-l la foc iute 1–2 minute, până când frunzele se înmoaie. Adăugați 2 lingurițe de pastă de fasole fermentată picantă, 1 linguriță jumătate de sos de stridii și o cantitate consistentă de piper alb măcinat. Căliți-le la foc mic până când sosul pătrunde bine în verdețuri. Serviți imediat. **4 PORȚII**

Fasole verde cu ciuperci în sos de boabe de soia negre

ACESTA ESTE UN PREPARAT DELICIOS ȘI UȘOR DE GĂTIT DIN LEGUME făcut la foc iute. Boabele de soia negre fermentate – denumite uneori boabe de soia negre sărate – sunt disponibile în magazinele cu specific asiatic și în unele supermarketuri. De fapt, ele sunt boabe de soia sărate, fermentate și uscate și pot fi, de asemenea, aromate cu ardei roșu sau cu ghimbir. Înainte de a fi gătite, aceste trebuie clătite de obicei, pentru a îndepărta sarea în exces.

4 PORȚII

400 g de fasole verde curățată
225 g de ciuperci shiitake, curățate
2 linguri de ulei vegetal sau de arahide
1 lingură de boabe de soia negre fermentate, clătite și scurse
2 căței de usturoi mari, curățați și tocați

Sos:
2 linguri de oțet de orez chinezesc
2 linguri de vin de orez Shaoxing sau chinezesc (sau vin de Xeres sec)
2 linguri de sos de soia light
1 lingură de sos de stridii
1 linguriță de zahăr tos
1 linguriță de făină de porumb, amestecată cu 2 linguri de apă

Tăiați fasolea verde în bucăți de mărimea unui deget și feliați fin ciupercile. Amestecați într-un bol toate ingredientele pentru sos și lăsați-le deoparte.

Încingeți uleiul într-un wok, la foc potrivit spre mare. Adăugați boabele de soia negre și usturoiul și căliți-le 30 de minute sau mai mult, până când emană un miros plăcut. Adăugați fasolea verde cu puțină apă. Căliți la foc mare 2 minute, apoi puneți ciupercile. Continuați să căliți totul încă 1–2 minute.

Turnați sosul peste legume și amestecați bine. Lăsați wokul la foc mic câteva minute, până când sosul începe să se îngroașe și fasolea verde este fragedă, dar își păstrează forma. Puneți mâncarea pe o farfurie și așezați-o pe masă.

Orez prăjit cantonez

IATĂ O METODĂ DEOSEBITĂ DE A FOLOSI OREZUL RĂMAS – de fapt, este chiar mai bun, deoarece este mult mai puțin lipicios și mai simplu de prăjit decât orezul proaspăt. (Rețineți, totuși, că orezul rămas trebuie ținut la frigider și folosit la o zi după ce a fost gătit.) Puteți înlocui creveții cu pui tăiat cubulețe, cu carne de porc la cuptor sau cu șuncă și puteți diversifica legumele – ardeii tăiați cubulețe, dovleceii și porumbul dulce merg de minune.

4 PORȚII

100 g de creveți cruzi, curățați

4 linguri de ulei vegetal sau de arahide

1 ceapă curățată și tocată

2 căței de usturoi mari, curățați și tocați mărunt

1 morcov, curățat și tăiat cubulețe

sare de mare și piper alb

50 g de mazăre, decongelată dacă a stat la congelator

2 ouă medii, bătute cu un praf de sare

aproximativ 400 g de orez gătit cu o zi în urmă

3–4 fire de ceapă verde, curățate și tocate

2 linguri de sos de soia light (sau după gust)

Scoateți vena din creveți (dacă folosiți creveți) și, dacă sunt destul de mari, tăiați-i, acoperiți-i și lăsați-i deoparte.

Încingeți jumătate de ulei într-un wok, la foc potrivit spre mare. Adăugați ceapa, usturoiul, morcovul, un vârf de cuțit de sare și puțin piper. Căliți legumele la foc iute aproximativ 2–3 minute, până când încep să se înmoaie.

Adăugați creveții și mazărea și căliți-le la foc iute până când creveții capătă culoarea roz. Împingeți ingredientele într-o parte a wokului și mai turnați puțin ulei în cealaltă parte. Adăugați ouăle bătute peste ulei și amestecați din când în când, pentru a le face papară. Când sunt aproape gata, amestecați-le cu restul de ingrediente.

Dacă este necesar, mai adăugați puțin ulei în wok, apoi puneți orezul și ceapa verde. Asezonați cu puțin sos de soia și căliți la foc iute 3–4 minute, până când orezul se înfierbântă. Gustați și potriviți de sare și piper înainte de a servi.

Salată de fructe
cu sirop de **anason**

UN PREPARAT SIMPLU DIN FRUCTE PROASPETE, cum ar fi feliile de portocale, încheie de cele mai multe ori o masă chinezească. Urmând același principiu, această salată de fructe exotice constituie un final delicios și răcoritor. Nu există nici o regulă fixă în privința ingredientelor – considerați secțiunea de mai jos o simplă sugestie și personalizați-o cu orice fructe de sezon.

4 PORȚII

200 g de litchi
1 mango mare, copt
1 fruct-stea (carambola), curățat
1 fruct-dragon mare
2 fructe persimmon

Sirop de anason:
75 g de zahăr tos
zeama de la 1 lămâie
2 fructe de anason
150 ml apă

Pentru ornat (opțional):
câteva frunze de mentă, rupte
1 mână de frunze de coriandru

Preparați mai întâi siropul de anason. Puneți într-o cratiță zahărul, zeama de lămâie, anasonul și apa și amestecați-le la foc domol, până când zahărul se dizolvă. Măriți ușor flacăra și lăsați să fiarbă 7–8 minute, până când lichidul devine un sirop subțire. Luați de pe foc și lăsați să se răcească.

Pregătiți fructele: curățați fructele litchi și îndepărtați sâmburii; curățați fructul mango și scoateți-i sâmburele; feliați fructul-stea; tăiați fructul-dragon în felii groase; curățați fructele persimmon și tăiați-le în sferturi.

Aranjați frumos fructele pe un platou și stropiți-le cu siropul de anason (este posibil să nu aveți nevoie de toată cantitatea; păstrați la frigider siropul rămas pentru a-l folosi la alte salate de fructe). Acoperiți farfuria cu folie alimentară și lăsați-o să se răcească 30 de minute înainte de servire.

Pentru ornat, presărați pe deasupra frunzele de mentă și de coriandru, dacă le folosiți.

Fundițe wonton cu susan și înghețată cu susan

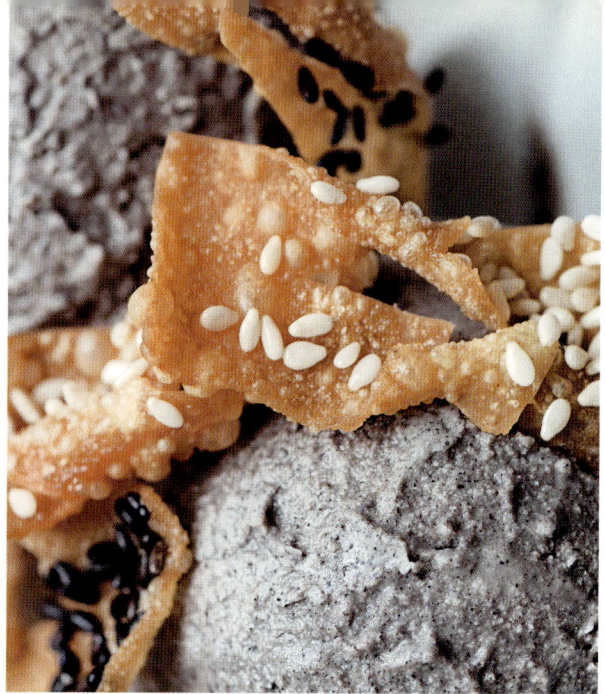

ACEASTĂ ÎNGHEȚATĂ POATE PĂREA NEAPETISANTĂ, la prima vedere, însă are o minunată aromă de susan. Pentru un gust mai puțin intens – și o culoare mai atractivă – folosiți semințe de susan albe în locul semințelor negre. Crocantele fundițe wonton cu susan adaugă o consistență interesantă, dar, dacă nu aveți timp să le preparați, serviți biscuiți.

4 PORȚII

Înghețată cu susan:

85 g de semințe de susan negre (sau albe)
4 gălbenușuri
100 g de zahăr tos
250 ml de lapte integral
250 ml de smântână dulce

Fundițe wonton cu susan:

8 foi de aluat pentru wonton, decongelat dacă a stat la congelator
1 ou mediu, bătut ușor
1 linguriță de semințe de susan negru (sau alb) sau un amestec
ulei vegetal sau de arahide, pentru prăjit
zahăr pudră, pentru presărat pe deasupra

Pentru înghețată, prăjiți semințele de susan într-o tigaie, amestecând până se rumenesc ușor și devin aromate. Puneți-le pe o farfurie și lăsați-le să se răcească, apoi măcinați-le mărunt în robotul de bucătărie.

Într-un bol, bateți gălbenușurile cu zahărul, până când compoziția devine cremoasă. Într-o oală medie, puneți la foc potrivit laptele și jumătate din smântâna dulce. Lăsați-le să fiarbă 1 minut la foc mic, apoi turnați puțin din acest amestec peste gălbenușuri, încorporându-le treptat în lapte. Amestecați cu o lingură de lemn la foc mediu spre mic până când crema este suficient de groasă încât să rămână pe lingură.

Adăugați pasta de susan în crema fierbinte. (Pentru o textură moale, treceți-o printr-o sită.) Așezați-o deasupra unui bol cu apă cu gheață, să se răcească rapid. În alt bol, bateți restul de smântână dulce până se întărește, apoi adăugați-o în crema răcită. Turnați crema într-o mașină de înghețată și lăsați-o până când este aproape gata. Transferați-o într-un recipient adecvat și congelați-o până se întărește.

Pentru fundițele wonton cu susan, tăiați fiecare foaie de aluat în 4 fâșii lungi. Faceți o crestătură pe mijlocul fiecăreia (ca o gaură mică) și răsuciți un capăt pe dinăuntru, pentru a crea o fundiță. Ungeți fundițele cu ou bătut, apoi presărați câteva semințe de susan. Așezați-le pe un tocător. Încingeți un strat de 3–4 cm de ulei într-un wok sau într-o cratiță adâncă cu fund gros. Prăjiți fundițele – în mai multe reprize – până se rumenesc pe toată suprafața și devin crocante, aproximativ 1–2 minute pe fiecare parte. Scoateți-le cu o paletă și scurgeți-le pe o hârtie de bucătărie. Răciți-le și pudrați-le cu zahăr înainte de servire.

Pentru a le servi, puneți una sau două cupe de înghețată de susan în fiecare bol și adăugați câteva semințe de susan și fundițe wonton.

BUCĂTĂRIA THAILANDEZĂ

ÎNAINTE DE TOATE, TREBUIE SĂ ȘTIȚI CĂ MÂNCAREA THAILANDEZĂ ESTE DEOSEBIT DE AROMATĂ. FOLOSIREA UNOR INGREDIENTE PRECUM LĂMÂILE VERZI, NUCA DE COCOS, IARBA DE LĂMÂIE ȘI FRUNZELE DE LĂMÂIE VERDE FACE CA PREPARATELE SĂ FIE DEOSEBIT DE AROMATE. UNEORI POT FI ȘI FOARTE PICANTE, ÎNSĂ ÎNTOTDEAUNA MIROS FANTASTIC. EU O CONSIDER O MÂNCARE FOARTE BENEFICĂ PENTRU ORGANISM. LA FEL CA ÎN CAZUL MÂNCĂRURILOR INDIENE, STILUL GASTRONOMIC THAILANDEZ ÎNSEAMNĂ MULT MAI MULT DECÂT CURRY. UN SFAT: NU FACEȚI ECONOMIE CÂND VINE VORBA DE CALITATEA INGREDIENTELOR. CHEIA PREPARATELOR THAILANDEZE ESTE PROSPEȚIMEA, DECI TOTUL TREBUIE SĂ FIE LA ÎNĂLȚIME.

Chiftele de pește cu salată picantă de castraveți

CREVEȚII CU CURRY ȘI CHIFTELELE DE PEȘTE ALB sunt niște preparate delicioase, ce pot fi savurate atât proaspete, cât și reîncălzite. De asemenea, pentru a vă asigura că chifteluțele au o consistență interesantă, este important să evitați să amestecați prea mult carnea de pește cu creveții.

10–12 PORȚII

250 g de file de pește alb fără piele, cum ar fi merlan negru sau mihalț

250 g de creveți mari, curățați și decorticați

1 lingură de pastă thailandeză roșie de curry

1 frunză de lămâie verde kaffir, tocată mărunt (sau coaja rasă fin de la o lămâie verde)

1 lingură de coriandru tocat

1 ou mediu

1 linguriță de zahăr de palmier (sau zahăr brun)

1 linguriță de sos de pește

1 vârf de cuțit de sare de mare

30 g de boabe de fasole franțuzească, curățată și feliată subțire

ulei vegetal, pentru prăjit

Salată picantă de castraveți:

1 castravete

1/2 de ardei roșu mic, fără semințe și feliat fin

1 ceapă roșie, curățată și tăiată Julien

zeama de la 2 lămâi

2 linguri de zahăr tos

1/2 de linguriță de sare de mare

2–3 linguri de apă

1 mână de frunze de coriandru tocate mare

1 mână de frunze de mentă tocate

Preparați mai întâi salata picantă de castraveți. Curățați castravetele și tăiați-l în sferturi pe verticală, apoi scoateți-i semințele cu o lingură. Tăiați castravetele pe diagonală în felii subțiri și așezați-le într-un bol mare. Adăugați ceapa verde și ardeiul roșu, amestecați-le și lăsați salata deoparte.

Puneți zeama de lămâie, zahărul, sarea și apa într-o oală mică și lăsați-le să fiarbă la foc mic, amestecând bine pentru a dizolva zahărul. Mai lăsați-le să fiarbă câteva minute până când se îngroașă puțin, apoi luați-le de pe foc.

Puneți într-un mixer toate ingredientele pentru chifteluțele de pește, cu excepția boabelor de fasole franțuzească și a uleiului, și amestecați-le până când obțineți o pastă fină. Nu amestecați în exces, pentru a păstra consistența potrivită pentru chifteluțele din pește.

Puneți amestecul într-un bol și adăugați fasolea franțuzească. Pentru a vedea dacă mai trebuie sare și piper, prăjiți o chifteluță din acest amestec într-o tigaie cu ulei și gustați, apoi asezonați compoziția crudă, adăugând mai multă sare și/sau zahăr, după cum considerați necesar. Cu mâinile ude, formați niște chifteluțe aplatizate, cu diametrul de aproximativ 5 cm, fiecare din două linguri de compoziție.

Încingeți un strat de ulei de 2–3 cm într-o tigaie adâncă sau într-un wok. Prăjiți chifteluțele în mai multe reprize, 1–2 minute pe fiecare parte, până când se rumenesc. Scoateți-le pe o tavă tapetată cu hârtie-prosop și țineți-le la cald într-un cuptor la foc mic în timp ce le prăjiți pe celelalte.

După ce sunt gata toate chifteluțele din pește, turnați sosul peste salata de castraveți și amestecați-o cu verdețurile tocate. Serviți chifteluțele de pește calde, cu salata de castraveți alături.

Supă picantă
de **nucă de cocos** și **pui**

ACEASTĂ SUPĂ DEOSEBIT DE AROMATĂ, denumită tom ka gai, este unul dintre aperitivele mele thailandeze preferate. Este incredibil de simplu și rapid de preparat. Pentru o cină rapidă în timpul săptămânii, serviți boluri mari de supă – adăugând câțiva tăieței fierți, 1 mână de muguri de fasole și frunze de coriandru. Simplă și delicioasă.

4–6 PORȚII

2 piepturi de pui fără os și piele, de aproximativ
   250 g

sare de mare și piper negru

400 ml de lapte de nucă de cocos la conservă,
   degresat

600 ml de apă

1 rădăcină de ghimbir proaspăt, curățată și feliată

4 frunze de lămâie verde kaffir, rupte pe din două
   (sau coaja rasă de la o lămâie verde)

1 tulpină de iarbă de lămâie, curățată și tăiată în jumătate,
   pe lung

2 ardei roșii, tăiați în jumătate, pe lung, și fără semințe

1 lingură de zahăr de palmier (sau zahăr brun fin)

2 1/2 linguri de sos de pește

2 linguri de zeamă de lămâie verde sau după gust

100 g de ciuperci champignon spălate

1 mână de frunze de coriandru, pentru ornat

Tăiați fâșii pieptul de pui, apoi cubulețe. Puneți carnea într-un bol, presărați sare și piper și lăsați-o deoparte.

Turnați laptele de nucă de cocos într-o oală, apoi adăugați 600 ml de apă, folosind cutia în care a fost ca măsură (de exemplu, o conservă și jumătate). Adăugați ghimbirul, frunzele de lămâie verde kaffir, iarba de lămâie, ardeii roșii, zahărul, sosul de pește și zeama de lămâie verde. Dați-le în clocot și lăsați-le la foc mic, amestecând din când în când, timp de 5 minute, pentru a lăsa aromele să se combine.

Adăugați ciupercile și lăsați-le la foc mic 2–3 minute. Puneți puiul, amestecați bine și lăsați-l la foc mic până când se pătrunde; nu va dura mai mult de 1–2 minute. Gustați și potriviți din sare și piper dacă este necesar.

Serviți supa în boluri mici; dacă doriți, puteți îndepărta ghimbirul, iarba de lămâie, ardeii roșii și frunzele de lămâie verde; în rețeta tradițională, aceste mirodenii sunt lăsate în supă, dar nu sunt consumate. Garnisiți fiecare bol cu câteva frunze de coriandru și serviți imediat.

Pastă thailandeză roșie de curry

Veți avea nevoie de 6–7 ardei iuți roșii, lungi. Pentru a prepara pasta, rulați fiecare ardei între degete pentru a desprinde semințele, apoi tăiați capătul dinspre codiță și scoateți semințele. Tăiați ardeii iuți, apoi spălați-vă bine pe mâini.

Pentru a pregăti pasta roșie de curry, puneți ardeii într-un mixer împreună cu 4 cepe roșii tocate, 5–6 căței de usturoi tocați, o bucată de 4 cm de rădăcină de ghimbir, o tulpină de iarbă de lămâie curățată și tocată mărunt, o frunză de lămâie verde kaffir tocată mărunt (sau coaja rasă de la o lămâie verde) și 1 mână de tulpini de coriandru tocate. Amestecați până când obțineți o pastă fină, adăugând 1–2 linguri de ulei vegetal (opțional).

Măcinați câte o linguriță de coriandru prăjit și semințe de chimion cu 1 1/2 lingurițe de piper negru boabe și 1 linguriță de sare de mare, până obțineți o pudră fină, folosind un pisălog și un mojar. Puneți pudra în robotul de bucătărie și adăugați 1 linguriță de pastă de creveți, dacă doriți. Amestecați până când se macină fin și se omogenizează; va trebui să opriți robotul pentru a curăța de câteva ori laturile bolului, pentru ca pasta obținută să se macine în mod uniform. Depozitați pasta de ardei iuți într-un borcan cu capac, dați-o la frigider și folosiți-o în decurs de o săptămână. **APROXIMATIV 280 g**

Satay de porc
cu sos de arahide

SATAY ESTE UN FEL DE MÂNCARE DE STRADĂ POPULAR în Thailanda. Aici am folosit carne de porc, însă se mai prepară și cu pui, vită, caracatiță sau creveți. Pentru o aromă optimă, lăsați porcul mult timp la marinat; acest proces ajută și la frăgezirea cărnii. Satay se prepară cel mai bine pe grătar, deoarece preia gustul de afumat, însă, desigur, puteți folosi și o tigaie-grill sau un grătar de aragaz.

4–6 PORȚII

500 g de spată sau file de porc
125 g de lapte de nucă de cocos la conservă
1 bucată de 3 cm de rădăcină de ghimbir, curățată și rasă
1 tulpină de iarbă de lămâie, curățată și cu partea albă tocată mărunt
1 linguriță de curcuma măcinată
2 lingurițe de coriandru măcinat
2 lingurițe de chimion măcinat
1/2 de linguriță de sare de mare
piper negru proaspăt măcinat
1–2 lingurițe de zahăr tos
ulei vegetal sau de arahide, pentru uns

Sos de arahide thailandez:
100 g de arahide prăjite (nesărate)
200 ml de lapte de nucă de cocos la conservă
4–5 linguri de pastă thailandeză de ardei iuți roșii (pentru a o pregăti acasă, vedeți pagina 186)
1 1/2 lingurițe de sare de mare
1–2 lingurițe de zahăr de palmier (sau zahăr brun fin)
2–3 linguri de pastă de tamarin (sau zeamă de lămâie verde)

Tăiați carnea de porc fâșii lungi și subțiri. Puneți restul ingredientelor, cu excepția uleiului, într-un bol, adăugați carnea de porc și amestecați bine. Acoperiți bolul cu o folie alimentară și lăsați carnea la marinat în frigider, cel puțin o oră, preferabil peste noapte, pentru a permite eliberarea aromelor. Lăsați în apă caldă 8–12 frigărui de bambus (acest lucru le va împiedica să se ardă pe grătar).

Între timp, preparați sosul de arahide. Puneți arahidele în robotul de bucătărie și măcinați-le fin (sau mare), apoi transferați-le într-un bol. Puneți cu o lingură într-o cratiță un strat gros și cremos de lapte de nucă de cocos. Lăsați-l să se încingă la foc mic și, când uleiul se separă de lapte, adăugați pasta de ardei și lăsați-o pe foc până când degajă o aromă plăcută.

Adăugați restul de lapte de nucă de cocos și alunele măcinate fin, apoi sare, zahăr și pasta de tamarin și lăsați-le la foc mic, amestecând frecvent, până când sosul începe să se îngroașe. (Dacă sosul este prea gros, mai adăugați puțină apă fiartă.) Turnați-l într-un bol și lăsați-l să se răcească foarte bine.

Încingeți grătarul sau tigaia-grill. Puneți carnea marinată pe bețele de bambus ținute în apă. Ungeți frigăruile cu puțin ulei, ca să nu se lipească și să se usuce, și lăsați-le 1 1/2–2 minute pe fiecare parte. Serviți-le fierbinți, cu sosul de arahide alături.

Red snapper cu sos de ardei iute, tamarin și lămâie verde

ACEASTA ESTE VARIANTA MEA PENTRU UN PREPARAT PE CARE L-AM SAVURAT în Thailanda acum câțiva ani – un pește exotic, întreg, crocant, învelit într-un sos de tamarin iute, dulce-acrișor. Absolut divin. Versiunea mea – mai sănătoasă – cuprinde fileuri de red snapper, însă puteți folosi pentru această rețetă orice pește alb cu carnea tare.

4 PORȚII

4 fileuri de red snapper, fiecare
   de aproximativ 100–200 g
sare de mare și piper negru
2 linguri de ulei vegetal
   sau ulei de arahide
1 mână de frunze de spanac tinere
   (opțional)

Sos:

1 1/2 linguri de ulei vegetal sau
   de arahide
4 ardei roșii iuți, lungi, fără semințe,
   tocați
6 căței de usturoi, curățați și tocați
4 fire de ceapă verde, curățate
   și tăiate fin pe diagonală
2 linguri de zeamă de lămâie
4 linguri de pastă de tamarin
   (sau zeamă de lămâie)
2 linguri de sos de soia
2 linguri de sos de pește
2 lingurițe de zahăr de palmier
   (sau zahăr brun fin)
2 linguri de apă

Uitați-vă cu atenție dacă fileurile de pește au oase mici și îndepărtați-le cu o pensetă. Lăsați-le deoparte, la temperatura camerei, în timp ce preparați sosul.

Pentru sos, încingeți uleiul într-o tigaie la foc potrivit. Adăugați ardeii iuți și usturoiul și lăsați pe foc 1–2 minute, amestecând constant, până când degajă o aromă specifică. Puneți restul ingredientelor, amestecați bine și lăsați-le la foc mic aproximativ 5–10 minute, până când sosul scade și capătă o consistență ca de gem. Dacă se îngroașă prea mult, mai adăugați puțină apă, pentru a-l subția.

Condimentați fileurile de red snapper cu sare și piper. Încingeți uleiul într-o tigaie lată (preferabil antiaderentă). Prăjiți fileurile de pește cu pielea în jos, 1 1/2 minute, până când pielea se rumenește ușor și peștele este gata în proporție de două treimi. Întoarceți fileurile de pește și prăjiți-le pe cealaltă parte aproximativ 30 de secunde, până când carnea devine opacă și fermă.

Pentru a servi, turnați sosul pe farfurii calde. Dacă doriți, presărați pe fiecare farfurie câte un strat de frunze de spanac înainte de a aranja fileul de pește. Serviți imediat, cu orez simplu cu iasomie.

Curry verde aromat cu carne de vită

PENTRU ACEST PREPARAT, PUTEȚI FOLOSI ORICE CARNE FRAGEDĂ
(inclusiv de pasăre sau de pește mai tare). Culoarea verde a acestui curry se mai estompează în timpul preparării, însă aromele și gustul se vor intensifica la foc. Folosiți mai puțini ardei iuți dacă nu vă place mâncarea foarte picantă. Veți prepara mai multă pastă de curry decât aveți nevoie pentru această rețetă, dar, la fel ca în cazul pastei de curry roșii (de la pagina 186), aceasta poate fi depozitată la frigider până la o săptămână, într-un borcan cu capac.

4 PORȚII

Pastă de curry verde:
10 ardei iuți verzi, lungi
3 cepe roșii, curățate
6 căței de usturoi, curățați
1 bucată de 4 cm de rădăcină de
    ghimbir curățată
1 legătură de coriandru, doar tulpina
2 tulpini de iarbă de lămâie, curățate
3 frunze de lămâi verde kaffir (sau
    coaja rasă fin de la o lămâie verde)
1–2 linguri de ulei vegetal
1 lingură de semințe de coriandru
1 lingură de semințe de chimion
1/2 de linguriță de boabe de piper
    negru
1 linguriță de sare de mare
1 linguriță de pastă de creveți (opțional)

Curry de vită:
450 g de file de vită sau mușchi de vită
5 vinete mici (sau una obișnuită)
1 lingură de ulei vegetal
400 ml lapte de nucă de cocos
    la conservă
2 ardei roșii, tăiați pe din două, pe lung
2 frunze de lămâie verde kaffir,
    rupte pe jumătate
1 1/2 linguri de sos de pește
1 linguriță de zahăr de palmier
    (sau zahăr brun)
1 mână de busuioc sau coriandru

Preparați mai întâi pasta de curry. Tocați mare ardeii iuți, cepele roșii, usturoiul, ghimbirul și tulpinile de coriandru și puneți-le într-un mixer. Tocați mărunt iarba de lămâie și frunzele de lămâie verde, adăugați-le în robotul de bucătărie și măcinați-le până obțineți o pastă fină, punând și 1–2 linguri de ulei.

Prăjiți semințele de coriandru și de chimion la foc potrivit, într-o tigaie uscată, până când emană un miros plăcut. Într-un mojar, măcinați mirodeniile prăjite, boabele de piper și sarea. Puneți-le în robotul de bucătărie și adăugați pasta de creveți (dacă folosiți). Amestecați până când se omogenizează bine, oprindu-vă din când în când pentru a curăța marginile bolului, asigurându-vă că obțineți o pastă omogenă.

Pentru a prepara curry-ul, tăiați carnea de vită bucățele și lăsați-o deoparte. La fel, tăiați vinetele bucățele și dați-le deoparte.

Încingeți uleiul într-o cratiță mare sau într-un wok. Adăugați 3–4 linguri de pastă de curry și amestecați la foc moderat până când degajă un miros plăcut. Adăugați laptele de nucă de cocos și lăsați compoziția să fiarbă la foc mic. Când uleiul se separă de lapte, adăugați vinetele, ardeii iuți, frunzele de lămâie verde, sosul de pește și zahărul. Gătiți totul 3–4 minute până când vinetele se frăgezesc, apoi adăugați carnea de vită și gătiți-o încă 2 minute. Luați cratița de pe foc.

Puneți curry-ul în boluri calde și presărați deasupra busuiocul sau coriandrul. Serviți imediat, cu orez fierbinte, aromat cu iasomie.

Pui la foc iute cu **alune caju**

PREPARATELE THAILANDEZE LA FOC IUTE CONȚIN ADESEA ALUNE,
la fel ca numeroase feluri de mâncare chinezești. Este important de reținut faptul că,
înainte de a le prepara astfel, trebuie să aveți pregătite toate ingredientele, iar legumele
să fie tocate înainte să încingeți wokul. De când începeți să le gătiți, durează doar
1 minut până când mâncarea e gata de pus pe masă.

4 PORȚII

2–3 piepturi de pui fără os și piele, în total
   aproximativ 400 g
sare de mare și piper negru
2 linguri de ulei vegetal sau de arahide
50 g de alune caju
1 ceapă mică, curățată și tocată
3 căței de usturoi, curățați și tocați
1 ardei iute roșu-uscat, tăiat bucățele de 1 cm
3 fire de ceapă verde, curățate și tăiate pe diagonală
   în bucăți de 3 cm
1 1/2 linguri de sos de pește
1 lingură de sos de soia dark
puțin zahăr tos
1 ardei iute roșu, fără semințe și feliat pe diagonală

Tăiați pieptul de pui cubulețe și dați-le cu un praf
de sare și cu puțin piper. Lăsați-le deoparte.

Încingeți uleiul într-un wok sau într-o tigaie lată.
Adăugați alunele caju și lăsați-le la foc mic, până când
se rumenesc ușor. Scoateți-le din wok cu o paletă
și puneți-le deoparte.

Adăugați ceapa și usturoiul în wok și căliți-le la foc iute
3–4 minute. Puneți ardeiul iute uscat, apoi bucățile de
pui. Prăjiți totul la foc iute timp de 2 minute, până când
carnea devine opacă. Adăugați ceapa verde, sosul de
pește, sosul de soia și puțin zahăr și mai prăjiți încă
1 minut. La sfârșit, adăugați ardeiul roșu feliat și alunele
caju prăjite. Amestecați bine și opriți focul.

Puneți amestecul pe o farfurie caldă sau împărțiți-l
în boluri calde și serviți-l imediat, cu orez cu iasomie,
proaspăt pregătit la aburi.

Legume picante la foc iute

PENTRU ACEST PREPARAT GUSTOS, FOLOSIȚI ORICE COMBINAȚIE de legume colorate doriți. Aveți grijă doar să nu le țineți prea mult pe foc – legumele trebuie să fie fragede, dar să își păstreze consistența inițială.

4 PORȚII

1 ceapă mare, curățată și feliată

1 morcov mediu, curățat și feliat pe diagonală

2 căței de usturoi, curățați și tocați

1 bucată de 3 cm de rădăcină de ghimbir, curățată și tăiată fâșii subțiri ca bețele de chibrit

100 g de ciuperci shiitake, spălate și feliate

1 ardei roșu, fără semințe și tăiat felii subțiri

1 broccoli mic, spălat și tăiat buchețele mici

3 fire de ceapă verde, curățate și tăiate bucăți de dimensiunea unui deget

2 linguri de ulei vegetal sau de arahide

Sos:

3 linguri de supă de legume sau de pui

2 linguri de sos de pește (sau după gust)

2 linguri de sos de soia light

1 lingură de zeamă de lămâie (sau după gust)

1 lingură de miere lichidă sau zahăr tos (sau după gust)

2 lingurițe de făină de porumb, amestecată cu 3 linguri de apă

câțiva fulgi de ardei iute uscat

Pregătiți toate legumele și mirodeniile. Într-un bol, amestecați ingredientele pentru sos.

Puneți un wok sau o tigaie lată la foc moderat. Adăugați uleiul, având grijă să ungeți și pereții wokului. Puneți ceapa și căliți-o 1 minut la foc iute, amestecând des. Adăugați morcovul, usturoiul și ghimbirul și mai lăsați totul pe foc încă 1 minut. Acum adăugați ciupercile și căliți-le la foc iute câteva minute, până când morcovii încep să se înmoaie.

Adăugați în wok buchețelele de broccoli, ardeiul roșu și firele de ceapă verde, apoi amestecați-le cu sosul. Mai căliți-le 2–3 minute, până când ardeiul și buchețelele de broccoli s-au înmuiat ușor, dar și-au păstrat consistența. Gustați și vedeți dacă mai trebuie asezonat, adăugând încă puțin sos de pește, zeamă de lămâie verde sau miere, dacă este necesar.

Împărțiți amestecul pe farfurii sau în boluri calde și serviți-l imediat.

Pad Thai cu creveți

UNUL DINTRE CELE MAI POPULARE PREPARATE
din meniurile restaurantelor thailandeze, simplu de pregătit și acasă.
Trebuie doar să vă asigurați că nu înghesuiți prea multe în wok.
Așadar, dacă vă hotărâți să măriți cantitățile – pentru a servi
mai mulți musafiri –, prăjiți tăiețeii în mai multe tranșe, câte două
porții o dată.

2 PORȚII

125 g de tăieței de orez uscați, subțiri
  sau medii
1 1/2 linguri de zahăr tos
2 linguri de sos de pește
2 linguri de pastă de tamarin (sau
  zeamă de lămâie verde)
4 linguri de ulei vegetal
1 ceapă roșie, curățată și tocată
2 căței de usturoi mari, curățați
  și tocați
1/2 de ardei roșu, fără semințe
  și tocat mărunt
100 g de creveți cruzi decorticați
2 ouă medii
50 g de muguri de fasole
2 fire de ceapă verde, curățate,
  doar partea verde, tăiată în bucăți
  de dimensiunea unui deget
3 linguri de arahide prăjite tocate,
  pentru presărat pe deasupra
sferturi de lămâie verde,
  pentru servire

Țineți tăiețeii de orez în apă fiartă aproximativ 10 minute, până când se pot
îndoi, dar nu se înmoaie prea mult, sau gătiți-i conform instrucțiunilor
de pe pachet. (Anumiți tăieței uscați trebuie ținuți mai mult în apă fiartă
pentru a se înmuia.)

Între timp, puneți zahărul, sosul de pește și pasta tamarin într-un bol mic și
amestecați bine. Când tăiețeii sunt gata, scurgeți-i și lăsați-i deoparte.

Încingeți jumătate din ulei într-un wok sau într-o tigaie antiaderentă mare.
Adăugați ceapa roșie, usturoiul și ardeiul iute și amestecați-le la foc moderat
până când degajă un miros îmbietor. Adăugați creveții și căliți-i la foc iute
câteva minute, până când devin roz-portocalii și opaci. Scoateți creveții pe o
farfurie cu o paletă și lăsați-i deoparte.

Scurgeți tăiețeii de orez și adăugați-i în wok alături de sos și de puțină apă.
Căliți-i la foc iute câteva minute, până când se frăgezesc. Puneți
ingredientele pe margine într-un wok și mai adăugați puțin ulei pe cealaltă
parte. Spargeți ouăle peste ulei și bateți-le încet până când sunt aproape
gata, apoi amestecați-le cu tăiețeii.

Puneți din nou creveții în wok și adăugați mugurii de fasole și firele de ceapă
verde. Amestecați încet deasupra flăcării, până când legumele devin moi,
dar își păstrează consistența.

Împărțiți Pad Thai în boluri calde și puțin adânci și presărați arahide tocate
peste fiecare porție. Serviți imediat, cu lămâie verde, tăiată felii, pe lung.

Gogoșele cu banane și semințe de susan

EU PREFER SĂ MĂNÂNC ACESTE GOGOȘELE DULCI ȘI CALDE cu o cupă de înghețată cremoasă de vanilie. Un răsfăț în toată regula. Pentru a vă bucura din plin de ele, trebuie să le consumați imediat după preparare, când sunt crocante.

6–8 PORȚII

5–6 banane mari și tari, dar coapte
ulei vegetal sau de arahide, pentru
    prăjire în baie de ulei
zahăr tos, pentru pudrat

Aluat:
2 linguri de praf de nucă de cocos
100 g de făină de orez
100 g de făină de porumb
4 linguri de semințe de susan
1 linguriță de sare de mare fină
2 linguri de zahăr tos
225–275 ml de apă

Preparați mai întâi aluatul. Puneți într-un bol mare praful de nucă de cocos, făina de orez, făina de porumb, semințele de susan, sarea și zahărul și amestecați-le bine. Faceți o gaură în mijlocul acestui amestec și turnați apa. Amestecați până când ingredientele se omogenizează, având grijă să nu rămână cocoloașe în aluat. Acesta ar trebui să fie destul de gros.

Cu aproximativ 10 minute înainte de a servi, curățați bananele și tăiați-le în 3 sau 4 bucăți. Încingeți un strat de ulei de 5–6 cm într-un wok sau într-o cratiță cu fund gros. Pentru a testa dacă uleiul este suficient de fierbinte, puneți puțin aluat în tigaie – acesta ar trebui să înceapă imediat să sfârâie.

Prăjiți gogoșelele în mai multe reprize. Puneți bucățile de banană în aluat, pentru a le îmbrăca pe toată suprafața, apoi cufundați-le cu atenție în uleiul încins. Prăjiți-le câteva minute, până când se rumenesc pe toată suprafața, întorcându-le o singură dată. Scurgeți-le și scoateți-le pe un platou pe care ați așezat hârtie-prosop. Păstrați-le calde în timp ce le prăjiți pe celelalte.

Presărați zahăr pudră pe gogoșelele crocante și fierbinți și serviți-le imediat.

Budincă de **orez** cu **mango, lămâie verde** și **nucă de cocos**

O BUDINCĂ DE OREZ DELICIOASĂ ȘI AROMATĂ care poate fi servită fierbinte sau rece, după preferință. Dacă vă hotărâți să o serviți rece, pregătiți și adăugați un mango, chiar înainte de servire.

4–6 PORȚII

250 g de orez cu iasomie

400 ml de lapte de nucă de cocos la conservă (dacă preferați, degresat)

80 g de zahăr tos

1 baton de vanilie, tăiat pe din două, pe lung

2–3 linguri de pudră de nucă de cocos

1 mango copt

150 ml de smântână grasă

Pentru ornat:

1 mână de fistic tocat

coaja rasă de la 1 lămâie verde

Puneți într-o oală orezul, laptele de nucă de cocos, zahărul și batonul de vanilie. Dați în clocot, amestecând constant, apoi acoperiți oala și lăsați-o la foc mic 15–20 de minute, până se înmoaie orezul.

Între timp, prăjiți nuca de cocos într-o tigaie, la foc moderat, până se rumenește, scuturând des tigaia. Puneți-o pe o farfurie și lăsați-o să se răcească. Curățați mangoul și tăiați pulpa în bucăți mari, îndepărtând sâmburele.

Când orezul este gata, luați oala de pe foc și scoateți batonul de vanilie. Amestecați-l bine cu nuca de cocos prăjită, cu smântâna grasă și cu bucățile de mango. Acoperiți-l din nou și lăsați-l să stea 2–3 minute.

Împărțiți budinca de orez în boluri de servit și presărați fisticul tocat. Radeți puțină coajă de lămâie verde deasupra și serviți.

BUCĂTĂRIA INDIANĂ

PENTRU CĂ AM FĂCUT MULTE CĂLĂTORII ÎN INDIA, POT SPUNE CĂ AM AJUNS SĂ APRECIEZ DIVERSITATEA PREPARATELOR SALE CULINARE. VARIETATEA NU ȚINE DOAR DE GEOGRAFIE, DEOARECE RELIGIILE DIFERITE SUNT CELE CARE DICTEAZĂ FOLOSIREA ANUMITOR INGREDIENTE. ÎN NORD-ESTUL ÎNDEPĂRTAT, CARNEA DE PORC ȘI CEA DE VITĂ SUNT PREZENTE ÎN PREPARATELE LOCALE, ÎNSĂ ÎN CEA MAI MARE PARTE A INDIEI, VACA ESTE CONSIDERATĂ ANIMAL SACRU, DECI NU ESTE SACRIFICATĂ NICIODATĂ PENTRU CONSUM. ÎN GOA ȘI ÎN KERALA, FELURILE DE MÂNCARE SEAMĂNĂ CU CELE THAILANDEZE, FOLOSIND CONDIMENTE MAI PUȚIN IUȚI ȘI NUCĂ DE COCOS. IDEEA CĂ MÂNCAREA INDIANĂ NU ÎNSEAMNĂ DECÂT PREPARATE CU CURRY, CE FAC SĂ-ȚI IA GURA FOC, ESTE DEPARTE DE ADEVĂR, LUCRU PE CARE ÎL VEȚI CONSTATA ȘI DUMNEAVOASTRĂ ÎN REȚETELE DIN ACEST CAPITOL.

Creveți tandoori

UN TANDOOR ESTE UN CUPTOR DE LUT folosit în India pentru a găti mâncarea la temperaturi foarte mari. Desigur că nu face parte din recuzita obișnuită de bucătărie, însă cred că un grătar încins merge perfect pentru aceste frigărui de creveți marinați. Aceștia nu trebuie să stea mult timp pe grătar – doar cât să se rumenească ușor pe margine.

4 PORȚII

16 creveți mari, curățați și decorticați
2 linguri de zeamă de lămâie
1 linguriță de sare de mare
2 linguri de ulei vegetal
2 linguri de unt topit
1 lămâie tăiată felii, pe lung, pentru
    servire

Marinată:
200 g de iaurt natural
2 căței de usturoi, curățați și zdrobiți
1 bucată de rădăcină de ghimbir
    de 2,5 cm, curățată și rasă
1 1/2–2 linguri de boia de ardei iute
1 linguriță de boia de ardei
1 linguriță de garam masala
1 linguriță de semințe de ajwain
    (chimion indian) prăjite
1/2 de linguriță de sare de mare

Spălați creveții și uscați-i cu hârtie-prosop. Puneți-i într-un bol cu zeama de lămâie și cu sare și amestecați-i bine. Lăsați-i 15–20 de minute să se marineze la frigider. Dacă utilizați frigărui de bambus, țineți patru frigărui în apă caldă (acest lucru le va împiedica să se ardă pe grătar).

Amestecați într-un bol toate ingredientele pentru marinată. Scurgeți creveții, apoi puneți-i într-un bol curat și turnați deasupra marinata. Amestecați-i bine, pentru a vă asigura că sunt îmbrăcați pe toată suprafața, apoi acoperiți-i și lăsați-i 1 1/2–2 ore la frigider să se marineze.

Preîncălziți grătarul la foc iute. Într-un bol, amestecați uleiul cu untul topit. Scoateți creveții din marinată și puneți-i în frigăruile de bambus sau de metal. Lăsați-i pe grătar 8–10 minute, întorcându-i și ungându-i în același timp cu amestecul de unt și ulei.

Serviți frigăruile de creveți fierbinți cu feliile de lămâie alături și cu o salată de roșii și castraveți.

Cum se prepară
samosa

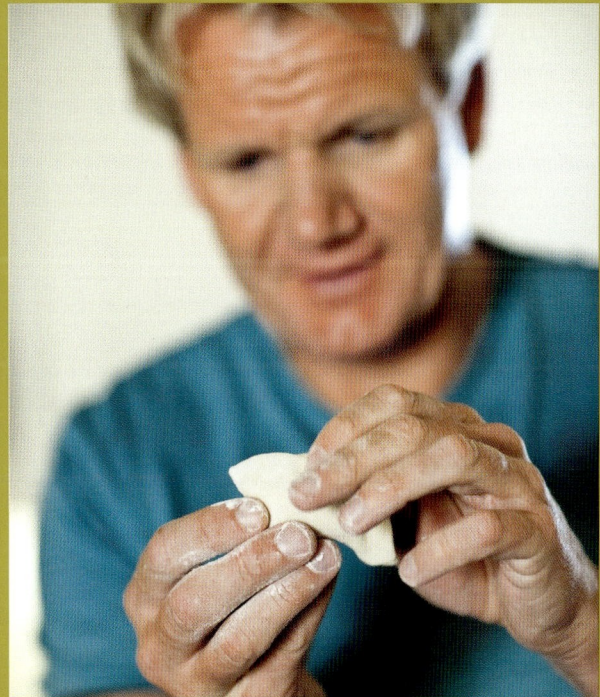

Formați câte o minge din fiecare foaie de aluat de samosa, apoi rulați-o pe o suprafață tapetată ușor cu făină, până obțineți un cerc cu diametrul de 12–15 cm. Tăiați fiecare cerc pe jumătate, în câte două semicercuri. Lucrând cu câte unul odată, umeziți marginile cu puțină apă, apoi îndoiți semicercul și uniți marginile tăiate astfel încât să obțineți un con. Apăsați marginile umede pentru a le lipi, apoi deschideți conul și turnați cu o lingură puțină umplutură cu năut, la o distanță de 1,5 cm de vârf. Umeziți marginile curbate cu puțină apă și apăsați-le pentru a le lipi. Așezați pateurile pe o tavă tapetată cu hârtie pergament. Repetați procesul cu restul aluatului.

Samosa cu năut și curry

CONSUMATE ÎN MOD TRADIȚIONAL CA GUSTĂRI în India, pateurile samosa se servesc acum adesea și la restaurant, ca aperitive. De obicei, sunt prăjite în baie de ulei, însă pot fi pregătite și la cuptor, unse cu o cantitate generoasă de unt topit. Pateurile samosa au diverse umpluturi, ca, de pildă, un amestec de legume, carne de miel tocată, cartofi iuți sau năut și curry (varianta propusă de mine aici).

12–16 PORȚII

Aluat:

225 g de făină albă, plus o cantitate suplimentară pentru pudrat

1 1/2 linguriţe de sare de mare fină

1 lingură de unt topit (sau ulei)

5–6 linguri de apă caldă

ulei vegetal, pentru prăjire în baie de ulei

Umplutură:

2 linguri de ulei vegetal

1 linguriță de boia de ardei iute sau după gust

1 linguriță de garam masala

1/2 de linguriță de chimion măcinat

1/2 de linguriță de curcuma

1 ceapă mică, curățată și tocată mărunt

1 cățel de usturoi, curățat și tocat mărunt

1 bucată de 2,5 cm de rădăcină de ghimbir, curățată și rasă

1 ardei iute verde, fără semințe și tocat mărunt

400 g de năut la conservă, clătit și scurs

200 ml de apă

1/2 de linguriță de sare de mare

100 g de mazăre, decongelată dacă a stat la congelator, înăbușită dacă este proaspătă

zeama de la jumătate de lămâie (sau după gust)

Pentru a prepara aluatul, amestecați făina cu sarea, într-un bol mare. Faceți o gaură în mijloc și adăugați untul topit și 5 linguri de apă caldă. Amestecați cu un cuțit cu lama rotundă pentru a forma o cocă, adăugând 1–3 linguriţe de apă dacă amestecul pare prea uscat. Puneți aluatul pe o suprafață tapetată cu puțină făină și frământați-l 5–10 minute, până când obțineți o compoziție omogenă. Înveliți-l în folie de plastic și lăsați-l undeva la răcoare în bucătărie, cel puțin 30 de minute.

Pentru umplutură, încingeți uleiul într-o tigaie lată sau într-un wok. Adăugați boiaua iute, garam masala, chimionul și curcuma și lăsați-le pe foc 30 de secunde, amestecând continuu. Apoi adăugați ceapa, usturoiul, ghimbirul și ardeiul iute și căliți-le aproximativ 4–5 minute, până când ceapa se înmoaie și mirodeniile emană un miros plăcut. Puneți năutul, apoi adăugați apa și sarea. Lăsați-le să fiarbă, amestecând ușor, până se absoarbe cea mai mare parte din apă, apoi luați-le de pe foc. Adăugați mazărea și zeamă de lămâie, după gust. Mutați umplutura într-un bol și lăsați-o să se răcească foarte bine.

Împărțiți aluatul în 7 bucăți egale. Acum rulați-l și formați pateurile samosa urmând instrucțiunile de la pagina precedentă.

Încingeți un strat de ulei de 6 cm într-o cratiță adâncă, cu fundul gros, ori într-un wok, la 180–190°C. Pentru a testa dacă este încins, aruncați puțină pâine în ulei; ar trebui să sfârâie imediat. Prăjiți pateurile samosa în baie de ulei, până se rumenesc și devin crocante, timp de aproximativ 6–8 minute. Scurgeți-le pe o tavă tapetată cu hârtie-prosop și păstrați-le în cuptor, la foc mic, în timp ce le prăjiți pe celelalte. Serviți-le fierbinți sau calde.

Bhaji de ceapă (sus); pateuri samosa (la stânga); chiftele de spanac și cartofi (la dreapta)

Bhaji de ceapă
cu sos iute cu verdețuri

PENTRU ACEST PREPARAT CU CEAPĂ, UȘOR CONDIMENTAT, se folosește, de regulă, făină de năut măcinat, o sursă bună de proteine pentru numeroșii vegetarieni din India. Făina de năut este disponibilă în băcăniile din Asia, însă, dacă aveți probleme în a o procura, înlocuiți-o pur și simplu cu făină albă de grâu.

APROXIMATIV 6 PORȚII

2 cepe mari, curățate și feliate
1/2 de linguriță de sare de mare, plus
 încă o cantitate pentru asezonat
1/2 de linguriță de coriandru măcinat
1/2 de linguriță de semințe de chimion
3–4 frunze de curry tocate
100 g de făină de năut
75 ml de apă
ulei vegetal, pentru prăjire în baie
 de ulei

Sos iute cu verdețuri:
25 g de frunze de mentă
45 g de frunze de coriandru
1/2 de cățel de usturoi, curățat și tocat
 foarte fin
1–2 ardei iuți verzi, după gust, fără
 semințe și tocați mare
1/2 de linguriță de sare de mare
1/2 de linguriță de zahăr tos
2 lingurițe de zeamă de lămâie
aproximativ 125–150 ml de apă

Presărați un praf de sare peste feliile de ceapă și lăsați-le deoparte în timp ce preparați sosul iute cu verdețuri (acest lucru ajută la eliberarea unei părți din sucul lor).

Pentru a prepara sosul iute cu verdețuri, puneți într-un mixer verdețurile, usturoiul, ardeii iuți, sarea, zahărul și zeama de lămâie. Amestecați, adăugând treptat apa, până când obțineți o pastă umedă fină, de consistența unui sos. Gustați și potriviți de sare și piper, dacă este necesar.

Pentru bhaji, amestecați într-un bol coriandrul măcinat, chimionul, sarea, frunzele de curry și făina de năut. Stoarceți ceapa pentru a îndepărta lichidul în exces (acest lucru va facilita omogenizarea ingredientelor și va face ca această delicatesă să devină crocantă). Adăugați cepele în făina condimentată și amestecați bine. Adăugați apa, puțin câte puțin, amestecând bine, până când obțineți o compoziție groasă, care să acopere bine cepele.

Încingeți un strat de ulei de 6 cm într-o cratiță cu fundul gros sau într-un wok, la 180–190ºC. Pentru a testa dacă este încins, puneți puțin aluat în ulei; ar trebui să sfârâie imediat. Puneți linguri cu vârf de aluat în uleiul încins, lăsând spații între ele, și prăjiți-le 4–5 minute, întorcându-le de pe o parte pe alta. Când feliile de ceapă pane (bhaji) sunt rumene și crocante pe margini, scoateți-le cu o paletă și scurgeți-le pe o tavă tapetată cu hârtie-prosop. Păstrați-le în cuptor, la foc mic, în timp ce le prăjiți pe celelalte.

Serviți-le calde, însoțite de sosul picant cu verdețuri.

Ilustrația se află la pagina 211.

Chiftelute de **spanac** și **cartofi** cu **raita** de **castraveți**

CUNOSCUTE SUB NUMELE DE ALOO TIKKI, aceste chiftelute minunate sunt originare din Lucknow, o regiune din India faimoasă pentru preparatele sale culinare rafinate și sofisticate. Raita (salata) simplă de castraveți este o garnitură minunată. Poate veți dori să creați un contrast plăcut, consumând aceste chiftelute cu tamarin sau cu un sos picant cu verdețuri.

8–10 CHIFTELE

2 cartofi medii, aproximativ 500 g, curățați

sare de mare și piper negru

3 linguri de ulei vegetal, plus o cantitate suplimentară pentru prăjirea chiftelutelor de cartofi

250 g de spanac proaspăt, spălat

2 lingurițe de semințe de muștar negru

1 linguriță de semințe de chimion

2 căței de usturoi, curățați și tocați mărunt

1 linguriță de sare de mare fină (sau după gust)

1 linguriță de piper de Cayenne

făină albă, pentru pudrat

Raită de castraveți:

500 ml de iaurt simplu

1 castravete mare

1/2 linguriță de semințe de chimion

1/2 linguriță de zahăr tos

Preparați mai întâi raita. Bateți ușor iaurtul într-un bol mare. Curățați și radeți castravetele, apoi stoarceți-l de cât mai multă apă înainte de a adăuga iaurtul. Prăjiți semințele de chimion într-o tigaie uscată aproximativ 1 minut, până când emană un miros plăcut, răciți-le, apoi amestecați-le în raita, împreună cu zahărul. Asezonați cu sare și piper după gust. Răciți-o până când este gata de servire; veți beneficia de un plus de aromă dacă raita stă la rece câteva ore.

Pentru chiftelute, tăiați cartofii în bucăți mari și adăugați-i într-o oală cu apă rece sărată. Dați-i în clocot și lăsați-i 10–15 minute până când se înmoaie (pentru a testa, înțepați-i cu un cuțit ascuțit). Scurgeți-i bine și puneți-i din nou pe foc, pentru a-i usca. Cât sunt încă fierbinți, dați-i printr-o mașină de tocat sau pasați-i bine. Asezonați-i după gust și lăsați-i să se răcească.

Încingeți puțin ulei într-o cratiță. Adăugați spanacul și amestecați la foc iute până când se înmoaie. Puneți-l într-o strecurătoare și stoarceți lichidul în exces cu o lingură. Puneți frunzele pe un prosop de bucătărie pentru a mai absorbi din zeamă. Lăsați-le să se răcească, apoi tocați-le mare.

Încingeți restul de ulei într-o tigaie, adăugați muștarul și semințele de chimion și prăjiți-le până încep să sfârâie. Luați-le de pe foc și adăugați-le în bolul cu piureul de cartofi răcit. Puneți spanacul tocat și asezonați cu sare și piper de Cayenne. Formați 8–10 chiftelute din amestec, apoi aplatizați-le. Pudrați-le cu puțină făină.

Încingeți un strat subțire de ulei într-o tigaie lată (preferabil antiaderentă). Prăjiți chiftelele în mai multe reprize, aproximativ 2–3 minute pe fiecare parte, până se rumenesc. Scurgeți-le pe o hârtie-prosop, apoi serviți-le calde, cu raita de castraveți alături.

Ilustrația se află la pagina 211.

Tilapia la cuptor în stil **keralan**

ACEST PEȘTE MINUNAT ARE UN GUST FANTASTIC

și se prepară foarte ușor. Tilapia este un pește de apă dulce ieftin,
care se găsește cu ușurință atât la pescării, cât și în supermarketuri.
Totuși, dacă nu îl găsiți, amestecul de roșii picant merge bine
cu orice file de pește cu carne albă tare.

4 PORȚII

4 fileuri de tilapia, fiecare de
    aproximativ 130–150 g
sare de mare și piper negru
2 linguri de ulei vegetal
2 cepe roșii, curățate și tocate
2 ardei iuți verzi, fără semințe și tocați
    mărunt
1 cățel de usturoi, curățat și zdrobit
1 bucată de 2 cm de rădăcină de
    ghimbir, curățată și rasă
1 linguriță de boia de ardei iute
1 linguriță de coriandru măcinat
3 roșii coapte, mari, tocate mărunt
zeama de la jumătate de lămâie
    (sau după gust)
1 mână de coriandru tocat
1 lămâie, tăiată felii, pe lung,
    pentru servire

Preîncălziți cuptorul la 180ºC (cuptor electric)/treapta 4 (cuptor cu gaz). Uitați-vă cu atenție dacă peștele are oase mici și îndepărtați-le cu o pensetă de bucătărie. Asezonați fileurile cu sare și piper, apoi puneți-le într-un singur strat într-o tavă.

Încingeți uleiul într-o tigaie, adăugați cepele și ardeii iuți și sotați-i la foc moale 4–5 minute, până când se înmoaie, fără a-și schimba însă culoarea. Adăugați usturoiul, ghimbirul, boiaua de ardei și coriandrul măcinat și amestecați bine. Lăsați-le pe foc câteva minute, până când uleiul se separă, apoi adăugați roșiile. Asezonați bine și micșorați ușor flacăra. Gătiți roșiile până se înmoaie complet, apoi luați tigaia de pe foc și adăugați zeama de lămâie și coriandrul tocat.

Puneți în mod uniform cu o lingură amestecul de roșii picant peste fileurile de pește, asigurându-vă că sunt acoperite complet. Dați-le la cuptor 10–15 minute, până când peștele este gata – carnea trebuie să rămână tare la atingere. Serviți-l imediat, cu lămâia tăiată și cu orez basmati preparat la abur.

Pui Madras

ACESTA ESTE OMNIPREZENTUL CURRY din meniurile restaurantelor din India. De obicei, este un curry foarte picant, cu un gust puternic, deoarece conține ardei iuți, atât uscați, cât și proaspeți. Rețeta pe care o propun aici este mai puțin condimentată, de dragul copiilor mei, însă, dacă vă place mâncarea extrem de picantă, puteți folosi mai mult ardei iute.

4 PORȚII

4 piepturi de pui fără piele și os, în total aproximativ 600 g
3 linguri de ulei vegetal
2 cepe, curățate și tocate fin
1 bucată de 2 cm de rădăcină de ghimbir, curățată și rasă
3 căței de usturoi, curățați și tocați mărunt
2–3 ardei iuți verzi, fără semințe și tocați mărunt
2 lingurițe de chimion măcinat
1 linguriță de coriandru măcinat
1 linguriță de curcuma
1–1 1/2 lingurițe de boia de ardei iute, după gust
6–8 frunze de ardei iute
sare de mare și piper negru
400 g de roșii coapte, tocate
300 ml de apă
1 linguriță de garam masala
frunze de coriandru, pentru ornat

Tăiați carnea de pui în bucăți de 4 cm și lăsați-o deoparte. Încingeți uleiul într-o tigaie lată sau într-un wok. Adăugați cepele și căliți-le până se înmoaie și se rumenesc ușor, aproximativ 6–8 minute. Adăugați ghimbirul, usturoiul și ardeii iuți și căliți totul 2–3 minute. Adăugați chimionul, coriandrul, curcuma, boiaua iute și frunzele de ardei iute și căliți-le încă 1 minut. Asezonați carnea cu sare și piper și puneți-o în tigaie. Prăjiți-o 2–3 minute pe fiecare parte, amestecând până se rumenește pe toată suprafața.

Puneți în tigaie roșiile tocate, turnați apa și dați în clocot. Amestecați bine, micșorați flacăra și puneți capacul. Lăsați să fiarbă la foc mic 30 de minute, amestecând din când în când. Dacă amestecul devine prea uscat și începe să se lipească de fundul tigăii, mai adăugați puțină apă și amestecați bine.

Adăugați garam masala și lăsați tigaia pe foc încă 10 minute, neacoperită. Serviți acest preparat ornat cu frunze de coriandru și însoțit de pilaf, orez basmati simplu sau pâine indiană caldă.

Biryani cu miel

BIRYANI ESTE UN PREPARAT COMPUS DIN STRATURI de orez și o tocană de legume sau din carne. În rețeta tradițională, vasul este sigilat cu o foaie de aluat simplă, din apă cu făină, în ultima etapă a preparării. Capacul din aluat se rupe numai după ce mâncarea este pusă pe masă, pentru a se păstra aromele minunate din biryani. Eu am omis foaia de aluat pentru a simplifica rețeta, folosind, în schimb, o cratiță cu capac etanș.

4–5 PORȚII

750 g de pulpă de miel cu os
2 cepe, curățate și tocate mare
5 căței de usturoi, curățați
1 bucată de 2,5 cm de rădăcină
  de ghimbir, curățată
50 g de fulgi de migdale
3 linguri de apă
6 linguri de ulei vegetal
sare de mare și piper negru
300 ml de apă
1 linguriță de semințe de chimion
1 linguriță de semințe de coriandru
1 baton de scorțișoară
1/2 de linguriță de semințe de
  cardamon
1 linguriță de boabe de piper negru,
  proaspăt măcinat

Orez aromat:
400 g de orez basmati
2 linguri de unt nesărat
1/2 de linguriță de curcuma
4 frunze de dafin
4 cuișoare
1 anason-stelat
475 ml de apă

Tăiați carnea de miel cubulețe de 2 cm și lăsați-o deoparte. Într-un blender, puneți cepele împreună cu usturoiul, ghimbirul, migdalele și apa și amestecați până când obțineți o pastă fină. Încingeți 2–3 linguri de ulei într-o tigaie mare sau într-un wok și prăjiți bucățelele de miel, până când se rumenesc pe toată suprafața; puneți carnea într-un bol.

Când toată carnea s-a rumenit, mai adăugați puțin ulei în tigaie și adăugați pasta de usturoi, ghimbir și migdale. Prăjiți-o 3–4 minute, amestecând continuu, până când se rumenește. Dacă pasta începe să se lipească în acest timp, mai adăugați puțină apă. Puneți carnea înapoi în tigaie, asezonați cu sare și piper și turnați apa. Acoperiți parțial cratița cu un capac și lăsați-o la foc mic timp de 1 oră, amestecând din când în când.

Prăjiți semințele de chimion și de coriandru într-o tigaie uscată aproximativ 1 minut, până când emană un miros plăcut. Măcinați semințele prăjite, scorțișoara, cardamonul și boabele de piper într-o râșniță. Amestecați-le în carnea care fierbe la foc mic și mai lăsați cratița pe foc 20–30 de minute, până când carnea este fragedă.

Preîncălziți cuptorul la 180ºC (cuptor electric)/treapta 4 (cuptor cu gaz). Pentru a prepara orezul, spălați-l în apă rece de câteva ori, apoi scurgeți-l bine. Încingeți untul într-o tigaie mare și adăugați curcuma, frunzele de dafin, cuișoarele și anasonul. Când încep să sfârâie și să emane un miros plăcut, puneți orezul scurs în tigaie și amestecați bine. Acoperiți-l cu apă, dați-l în clocot și lăsați-l să fiarbă 10 minute.

Puneți orezul într-o cratiță mare, termorezistentă (cu capac etanș) și turnați deasupra friptura de miel. Puneți capacul și dați vasul la cuptor 30–35 de minute. Opriți cuptorul și lăsați biryani înăuntru 10 minute înainte de servire.

Dhal

MÂNCAREA DE LINTE PICANTĂ sau dhal este un preparat indian comun și se consumă de obicei ca garnitură, cu orez sau pâine. Boabele și mirodeniile alese variază de la o regiune la alta. Acest dhal este preparat cu linte galbenă, denumită *tuvar dhan* – unele dintre cele mai populare boabe din India. Dacă nu o găsiți, înlocuiți-o cu mazăre galbenă, cu boabe de fasole mung sau cu linte roșie; lăsați la înmuiat cât este necesar, în funcție de ingredientul folosit, și modificați timpul de preparare în consecință.

4 PORȚII

350 g de linte galbenă
1 l de apă
10 frunze de curry
2 roșii tocate
1 linguriță de curcuma
1 1/2–2 lingurițe de boia de ardei iute, după gust
1 linguriță de sare de mare
30 g de unt nesărat
1 linguriță de panch phoran (amestec indian din 5 condimente)
2 ardei iuți verzi, tăiați pe din două pe lung

Spălați bine lintea de mai multe ori în apă rece, apoi puneți-o într-o oală și turnați apa astfel încât să o acoperiți. Adăugați 2 frunze de curry, roșiile tocate, curcuma, pudra de ardei iute și sarea. Amestecați bine, dați în clocot, apoi micșorați flacăra. Spumuiți bine, apoi lăsați totul să fiarbă la foc mic 20–30 minute, până se înmoaie lintea. Preparatul trebuie să aibă consistența unei supe-cremă; dacă se îngroașă însă prea mult, mai adăugați apă caldă.

Reîncălziți lintea înainte de servire. Topiți untul într-o tigaie. Adăugați panch phoran și restul frunzelor de curry și căliți-le 1 minut sau mai mult, până când încep să emane un miros plăcut. Adăugați ardeii iuți verzi și mai căliți-i câteva minute.

Transferați lintea într-un bol cald și presărați deasupra amestecul de mirodenii aromate. Serviți imediat, cu orez basmati preparat la abur sau cu pâine indiană caldă.

Kulfi cu scorțișoară

AVÂND ÎN COMPOZIȚIE DOAR TREI INGREDIENTE – lapte cu un conținut scăzut de lactoză, zahăr și aromă naturală sub formă de scorțișoară –, aceasta este o rețetă de kulfi (înghețată indiană) uimitor de simplă. Îmi place să congelez compoziția în forme pentru acadele, pentru a-i amuza pe copii, însă dumneavoastră puteți folosi formele de kulfi conice tradiționale, formele dariole franțuzești sau orice recipient mic de acest gen.

APROXIMATIV 16 PORȚII

2 l de lapte integral
3 batoane de scorțișoară
130 g de zahăr granulat

Puneți laptele într-o oală mare cu fundul gros și fierbeți-l până dă în clocot. Reduceți flacăra, adăugați batoanele de scorțișoară și lăsați vasul la foc mic până când laptele scade la jumătate. Va dura probabil aproximativ o oră, timp în care va trebui să amestecați constant, pentru a nu se lipi de fundul oalei. Dacă laptele formează o crustă, amestecați.

Când laptele a scăzut suficient, adăugați zahărul și amestecați bine, pentru a-l dizolva. Lăsați-l să fiarbă încă 2–3 minute, apoi luați oala de pe foc și puneți-o deoparte, să se răcească.

Când laptele s-a răcit complet, scoateți batoanele de scorțișoară. Turnați amestecul în forme de acadele sau în forme speciale de kulfi ori în dariole și congelați-l peste noapte.

Cu aproximativ 20 de minute înainte de servire, scoateți kulfi din congelator, pentru a se înmuia puțin. Când este gata de servire, cufundați formele în apă caldă, pentru a le înmuia și a putea scoate kulfi.

Halva cu morcovi și nucă de cocos

HALVALELE VARIAZĂ SEMNIFICATIV CA TEXTURĂ. Unele rețete se aseamănă cu o budincă moale, însă eu prefer să pregătesc amestecul până devine lipicios și suficient de gros încât să fie rulat în chifteluțe rotunde, pe care le îmbrac cu praf de nucă de cocos prăjită. Mai adaug în compoziția cu morcovi puțin fistic și migdale tocate, pentru un plus de savoare. Serviți halvaua ca desert, cu cafea sau ca gustare.

18–20 DE PORȚII

2 kg de morcovi, curățați

500 ml de lapte praf

500 g de zahăr granulat

50 g de unt nesărat

semințele de la 2 păstăi de cardamon, măcinate fin

25 g de fistic prăjit, măcinat fin

25 g de migdale prăjite, măcinate fin

50 g de praf de nucă de cocos, prăjită ușor

Radeți mare morcovii și puneți-i într-o cratiță încăpătoare cu fundul gros, împreună cu laptele praf și cu zahărul granulat. Fierbeți până dă în clocot, apoi micșorați flacăra și lăsați-i la foc mic 30–45 de minute, amestecând constant, până când se evaporă tot laptele, iar morcovii sunt destul de uscați.

Adăugați untul în cratiță și măriți ușor flacăra, pentru a rumeni morcovii rași. Lăsați cratița pe foc încă 25–30 de minute, amestecând constant, până când amestecul este uscat. Când pereții cratiței sunt curați, luați-o de pe foc și adăugați semințele de cardamon măcinate, fisticul și migdalele.

Mutați amestecul într-un vas lat și lăsați-l să se răcească foarte bine, cel puțin o oră, pentru a se întări și mai mult.

Cu mâinile umede, formați chifteluțe rotunde, apoi pudrați-le pe toată suprafața cu praful de nucă de cocos. Halvaua este acum gata să fie servită. Poate fi păstrată la frigider într-un recipient etanș, până la o săptămână.

BUCĂTĂRIA AMERICANĂ

CE POT SĂ SPUN DESPRE MÂNCAREA AMERICANĂ?
PENTRU CĂ PORȚIILE SERVITE SUNT CONSIDERABILE,
NU ESTE DESTINATĂ CELOR PREA SENSIBILI, ÎNSĂ
ACEST LUCRU NU ÎNSEAMNĂ CĂ TOATE PREPARATELE
AMERICANE SUNT SĂȚIOASE ȘI GRELE. EU PETREC
MULT TIMP ÎN LOS ANGELES. AVEM UN RESTAURANT
ACOLO ȘI ÎNCĂ UNUL ÎN NEW YORK. LA FEL CA ÎN
CAZUL ALTOR ȚĂRI MARI, MÂNCAREA VARIAZĂ FOARTE
MULT, ÎN FUNCȚIE DE LOCUL ÎN CARE VĂ AFLAȚI.
DE EXEMPLU, ÎN NEW YORK EXISTĂ NIȘTE TENDINȚE
CULINARE MULT MAI EUROPENE COMPARATIV
CU ALTE STATE. VĂ RECOMAND SINCER ARIPILE
DE PUI BUFFALO – SUNT FANTASTICE. IAR BUDINCILE
SUNT NEMAIPOMENITE...

Chiftelute de crab de Maryland

MARYLANDUL ESTE FAIMOS PENTRU MINUNATELE SALE CHIFTELUȚE DE CRAB. Ele sunt asezonate cu aromele distincte ale amestecului de mirodenii Old Bay, produs de McCormick și disponibil pe internet de la furnizori specializați. Dacă nu îl găsiți, preparați o versiune simplă, folosind cantități egale de frunză de dafin măcinată, semințe de muștar, piper negru, ghimbir, scorțișoară și sare de țelină. Pregătiți o cantitate mare, depozitați-o într-un borcan cu capac și folosiți-o pentru a asezona alte preparate din fructe de mare.

6–8 PORȚII

500 g de carne de crab albă
1 ceapă mică, curățată și tocată mărunt
1 tulpină de țelină, curățată și tocată mărunt
1 lingură de muștar de Dijon
1 lingură de maioneză
1 linguriță de sos Worcestershire
1 ou mediu, bătut ușor
1 linguriță de pătrunjel tocat
1 lingură de mirodenii Old Bay
aproximativ 50 g de pesmet proaspăt
ulei vegetal sau ulei de arahide, pentru prăjire

Pentru ornat și servit:
maioneză
lămâie tăiată în felii groase, pe lung
frunze de salată

Scoateți carnea de crab și îndepărtați orice rest de carapace. Puneți într-un bol ceapa, țelina, muștarul, maioneza, sosul Worcestershire, oul bătut și pătrunjelul tocat și amestecați bine. Adăugați carnea de crab și mirodeniile Old Bay și amestecați până se omogenizează. La sfârșit, adăugați 3–4 linguri de pesmet – suficient pentru a obține un amestec consistent.

Acoperiți compoziția cu o folie de plastic și lăsați-o să se răcească cel puțin 30 de minute, pentru a se întări ușor.

Cu mâinile umede, formați 6–8 chiftelute. Încingeți la foc potrivit un strat subțire de ulei, într-o tigaie mare. Prăjiți chiftelutele aproximativ 2–3 minute pe fiecare parte, până se rumenesc. Scoateți-le și scurgeți-le pe hârtie-prosop.

Serviți chiftelutele fierbinți, cu maioneză, felii de lămâie și frunze de salată.

Supă-cremă de scoici
din New England

CONSIDERATĂ DREPT UNA DINTRE CELE MAI GUSTOASE SUPE AMERICANE, această rețetă este consistentă și cremoasă, cu o aromă deosebită, dată de bacon și de scoici. Garnitura tradițională o constituie biscuiții crocanți de stridii. În San Francisco, supa-cremă de scoici se servește uneori în coajă de pâine scobită, ca masă de prânz consistentă.

4–6 PORȚII

1 kg de scoici vii, spălate
puțin vin alb sec
1 lingură de ulei de măsline
100 g de bacon afumat în coajă de arțar, tăiat în felii subțiri
2 cepe, curățate și tocate mărunt
2 tulpini de țelină, curățate (păstrați frunzele) și tocate mărunt
3 cartofi făinoși mari, aproximativ 600 g, curățați și tăiați cubulețe
1 cățel de usturoi, curățat și tocat
30 g de unt
2 1/2 linguri de făină albă
500 ml de supă de pui
200 ml de smântână grasă
2 linguri de frunze de țelină, tocate (opțional)
1 frunză de dafin
sare de mare și piper negru
1 mână de pătrunjel, frunzele rupte

Încingeți o oală încăpătoare, cu fundul gros. Puneți scoicile, adăugați puțin vin alb și acoperiți oala cu un capac etanș. Scuturați-o puțin și lăsați scoicile la aburi 3–4 minute, până se deschid cochiliile.

Puneți scoicile într-o strecurătoare așezată deasupra unui bol mare, pentru a strânge sucul. Când se răcesc suficient încât să fie mânuite, scoateți carnea din scoici, lăsând doar câteva cu cochilie, pentru ornat; îndepărtați scoicile care au rămas închise.

Încingeți uleiul de măsline într-o tigaie, puneți baconul și prăjiți-l 3–4 minute sau până se rumenește. Adăugați în tigaie cepele, țelina, cartofii și usturoiul și căliți-le la foc mic 6–8 minute, până încep să se înmoaie.

Adăugați untul, apoi făina și amestecați câteva minute. Turnați treptat supa în cratiță, amestecând constant. Turnați smântâna și sucul păstrat de la scoici. Adăugați frunzele de țelină tocate, dacă le aveți, frunza de dafin, sare și piper. Lăsați-le să fiarbă la foc mic 20–30 de minute, până când legumele se înmoaie, iar supa se îngroașă.

Adăugați toate scoicile și încălziți-le 2–3 minute la foc mic, amestecând, având grijă să nu dea în clocot. Turnați supa în boluri calde și serviți-o cu frunze de pătrunjel.

Aripi de pui Buffalo
cu sos de smântână și arpagic

ACEST PREPARAT ESTE PREZENT ÎN MULTE MENIURI din barurile americane, deoarece este genul de mâncare care merge de minune cu o bere rece. Aripile crocante sunt picante datorită sosului iute în care sunt îmbrăcate, de aceea sunt servite de obicei cu un sos răcoritor din smântână sau brânză cu mucegai albastru și o mână de tulpini de țelină.

4–5 PORȚII

3–4 linguri de făină albă

1 linguriță de boia de ardei

puțin piper de Cayenne sau după gust

sare de mare

10 aripi de pui

50 g de unt nesărat

4 linguri de sos iute

1/4 de linguriță de piper negru

1 cățel de usturoi, curățat și tocat mărunt

ulei vegetal sau de arahide, pentru prăjire în baie de ulei

1 lămâie tăiată în felii groase, pe lung, pentru servire

Sos de smântână și arpagic:

150 ml de smântână

3–4 linguri de maioneză

1 mână de arpagic tocat mărunt

sare de mare și piper negru

1 linguriță de zeamă de lămâie (sau după gust)

Într-un bol mic, amestecați făina, boiaua, piperul de Cayenne și un vârf de cuțit de sare. Puneți aripile de pui într-un bol mare. Presărați amestecul de făină cu mirodenii peste ele și pudrați-le bine până le îmbrăcați uniform, apoi acoperiți-le și țineți-le la frigider aproximativ o oră.

Între timp, puneți într-o tigaie mică untul, sosul iute, ardeiul, usturoiul și un praf de sare și lăsați-le la foc mic. Amestecați-le și așteptați ca untul să se topească și amestecul să se omogenizeze bine. Lăsați-l deoparte pentru a se răci.

Între timp, pentru sos, amestecați toate ingredientele într-un bol mic, adăugând sare, piper și zeamă de lămâie, după gust. Acoperiți și lăsați sosul să se răcească până când aripile de pui sunt gata de prăjit.

Încingeți la 180ºC un strat de 6–7 cm de ulei, într-o friteuză sau într-o tigaie adâncă, cu fundul gros; o bucată de pâine aruncată în uleiul încins trebuie să sfârâie imediat. Prăjiți aripile timp de 10–15 minute sau până când se rumenesc și devin crocante, întorcându-le pe cealaltă parte. Scoateți-le pe o tavă tapetată cu hârtie-prosop și păstrați-le calde cât timp le prăjiți pe celelalte.

Puneți aripile crocante într-un bol mare, turnați deasupra sosul iute și amestecați până le îmbrăcați bine.

Aranjați imediat aripile pe o farfurie caldă sau în boluri individuale și serviți-le cu feliile de lămâie și cu sosul de smântână și arpagic.

Gumbo de Louisiana cu **fructe de mare**

ACEST PREPARAT DINTR-UN AMESTEC DE FRUCTE DE MARE este popular în toate statele din sud. Pentru a-l face mai simplu, am limitat ingredientele principale la chorizo, carne de crab și stridii; totuși, în rețete mai apar creveți, homari, raci și carne de porc afumată sau cârnați – sunteți liberi să adăugați oricare dintre acestea. Uneori, în loc de rântaș, se mai folosesc bame tăiate sau gumbo filé (un condiment preparat din frunze de sasafras măcinate) pentru a îngroșa mâncarea.

4 PORȚII

6 linguri de ulei vegetal

5 linguri de făină albă

2 cepe mari, curățate și tocate

4 tulpini de țelină, curățate și tocate

2 ardei roșii, fără semințe și tocați

4 căței de usturoi, curățați și tocați

225 g de cârnați chorizo, feliați

800 ml de supă de pește sau de pui

400 g de carne de crab albă (sau clești de crab gătiți)

6–7 fire de ceapă verde, curățate și tocate

1 praf de piper de Cayenne

sare de mare și piper negru

12 stridii vii

1 mână de frunze pătrunjel tocate

Încingeți uleiul la foc mediu spre mare, într-o tigaie încăpătoare. Presărați făina și amestecați până când se rumenește (și formează un rântaș auriu).

Puneți cepele, țelina, ardeii roșii și usturoiul. Căliți-le, amestecând constant, aproximativ 8–10 minute sau până când se înmoaie legumele. Adăugați chorizo și lăsați totul pe foc, circa 2–3 minute.

Adăugați treptat supa, câte o lingură o dată, amestecând continuu. Lăsați compoziția să fiarbă la foc mic, amestecând des, aproximativ 30 de minute, până când supa devine groasă și aromată, iar legumele se înmoaie.

Adăugați în tigaie carnea de crab, firele de ceapă verde, piperul de Cayenne, sarea și piperul negru și amestecați bine. La sfârșit, curățați stridiile și puneți-le în tigaie. Lăsați-le să fiarbă la foc mic câteva minute, apoi opriți focul.

Așezați preparatul în boluri calde și presărați deasupra pătrunjelul tocat. Serviți imediat, cu orez simplu.

Plăcintă de pui la oală

FOARTE ASEMĂNĂTOARE CU VERSIUNEA BRITANICĂ, dar cu un sos mai ușor, această plăcintă americană clasică este ideală pentru iarnă. În rețeta tradițională se fierbe un pui întreg, apoi zeama se lasă să scadă, pentru a pregăti sosul aromat pentru plăcintă. Versiunea mea simplificată, dar la fel de delicioasă, folosește piept de pui fraged; altă posibilitate este să folosiți pui rămas de la o friptură mâncată cu o seară înainte.

4 PORȚII

50 g de unt

1 ceapă mare, curățată și tocată

3 tulpini de țelină, curățate și tăiate cubulețe

1 morcov mare, curățat și tocat

1 cartof mare, curățat și tăiat cubulețe

50 g de făină albă, plus o cantitate suplimentară pentru pudrat

500 ml de supă de pui

250 ml de smântână grasă

sare de mare și piper negru

500 g de piept de pui fără os și piele, tăiat bucățele mici

300 g de foitaj de calitate gata preparat, cu unt

1 ou mediu amestecat cu 1 lingură de apă, pentru a unge aluatul

Topiți untul într-o tigaie mare și lată, apoi adăugați ceapa, țelina, morcovul și cartoful. Sotați-le la foc mic 10 minute sau până se înmoaie legumele. Adăugați făina și amestecați bine. Lăsați-le pe foc încă 2 minute, amestecând constant, pentru ca făina să se umfle.

Turnați supa și smântâna și asezonați bine cu sare și piper. Lăsați-le la foc mic 5–10 minute, amestecând, până se îngroașă. Adăugați puiul și lăsați-l să fiarbă la foc mic 5 minute sau până când se pătrunde. Gustați și potriviți de sare și piper. Luați cratița de pe foc și lăsați-o să se răcească puțin.

Preîncălziți cuptorul la 200ºC (cuptor electric)/treapta 6 (cuptor cu gaz). Puneți cu o lingură umplutura de pui într-un vas de plăcintă mare sau în 4 vase de plăcintă mai mici. Rulați aluatul pe o suprafață tapetată ușor cu făină și formați un disc mare, de grosimea unei monede. Tăiați un cerc (sau 4 cercuri mai mici) suficient de mare încât să acopere gura vasului.

Nivelați aluatul rămas și tăiați fâșii lungi pe care urmează să le puneți pe marginea vasului. Udați puțin marginile vasului de plăcintă, apoi fixați fâșiile lungi de aluat și ungeți-le cu ou. Puneți capacul din aluat deasupra și lipiți marginile pentru a-l sigila. Dacă doriți, decorați partea de sus a plăcintei cu frunze din aluatul rămas. Ungeți aluatul cu ou, ca să lucească.

Dați plăcinta la cuptor 40–50 de minute sau până când aluatul se rumenește bine, iar umplutura este gata. Lăsați plăcinta să stea câteva minute înainte de servire.

Burgeri cu **brânză** cu **mucegai albastru**

BRÂNZA CU MUCEGAI ALBASTRU dă un plus de savoare acestor delicioși burgeri preparați în casă. Se pregătesc ușor și rapid și sunt mult mai gustoși decât burgerii din comerț. Cartofii dulci la cuptor și salata de varză (vedeți pag. 243) constituie garnituri ideale.

6–8 PORȚII

Burgeri:

1 kg de carne slabă de vită tocată
1 ceapă roșie mică, curățată și tocată mărunt
100 g de brânză cu mucegai albastru, sfărâmată
1 mână de arpagic tocat
puțin sos Tabasco
2 lingurițe de sos Worcestershire
1 linguriță de muștar englezesc
sare de mare și piper negru
ulei de măsline, pentru a asezona

Pentru ornat și servit:

6–8 chifle de burger, tăiate pe din două
1 mână de frunze de salată
roșii feliate
1 avocado feliat
maioneză și/sau ketchup

Pentru a prepara burgerii, puneți toate ingredientele, cu excepția uleiului, într-un bol mare și asezonați-le bine cu sare și piper. Amestecați-le cu mâna până se omogenizează. Rupeți o bucată mică din compoziție, formați o chifteluță, prăjiți-o într-o tigaie cu ulei până este gata, apoi gustați pentru a vedea dacă mai trebuie sare sau piper. Dacă este necesar, mai puneți condimente în compoziția crudă. Acoperiți bolul cu o folie alimentară și lăsați-l la rece câteva ore.

Preîncălziți o tigaie-grill sau încingeți un grătar. Cu mâinile ude, formați 6–8 burgeri. Ungeți-i sau picurați deasupra ulei de măsline și gătiți-i pe ambele părți, 7–10 minute. Ei ar trebui să rămână ușor roz pe dinăuntru.

Când burgerii sunt aproape gata, stropiți cu puțin ulei de măsline partea cu miez a chiflelor. Rumeniți-le cu partea tăiată în jos, pe grătar sau pe tigaia-grill.

Pentru a servi, faceți un sendviș din chifle și burgeri, adăugând frunzele de salată, feliile de avocado și pe cele de roșii și 1 lingură de maioneză și/sau de ketchup, după preferință.

5 feluri de a prepara friptura

Friptură tartar clasică

Tăiați cubulețe 400 g de file de porc. Într-un bol, bateți 2 gălbenușuri cu 1 lingură de sos Worcestershire și cu puțin piper de Cayenne. Adăugați carnea cu 2 castraveciori tocați mărunt, 1 ceapă verde tocată, 1 linguriță de muștar de Dijon, 2 fileuri de anșoa tăiate mărunt și 1 mână de frunze de pătrunjel tocate. Asezonați cu sare și piper negru și amestecați bine. Formați chifteluțe și serviți-le pe pâine de secară sau cu cartofi prăjiți. 4 PORȚII

Biftec cu sos chimichurri

Pentru sos, amestecați 1 mână de frunze de coriandru și 1 mână de pătrunjel cu 1 cățel de usturoi zdrobit, 1 lingură de oțet de vin alb, puțină zeamă de lămâie și 100 ml de ulei de măsline. Dați prin pesmet o bucată de mușchi de vită de 800 g, apoi tăiați-o în 4. Așezați bucățile într-un vas, turnați cu o lingură o treime din sos și lăsați-le la marinat în frigider cel puțin 2 ore, chiar și peste noapte, dacă este posibil. Încingeți bine grătarul sau puneți o tigaie-grill la foc mare. Scoateți carnea de la marinat, îndepărtați zeama în exces și condimentați-o pe ambele părți cu sare de mare și cu piper negru. Frigeți-o 2–3 minute pe fiecare parte. Serviți friptura cu restul de sos deasupra. 4 PORȚII

Friptură piperată cu sos cremos de ciuperci și trufe

Încingeți o lingură de ulei de măsline într-o tigaie și căliți la foc mic 1 ceapă tăiată mărunt și 1 cățel de usturoi tocat, până când se înmoaie, fără a se rumeni. Mai adăugați o lingură de ulei, 1 cub de unt și 200 g de amestec de ciuperci tăiate și gătiți-le până își schimbă culoarea. Turnați 50 ml de vin alb și lăsați-l să clocotească până când sosul scade aproape în totalitate. Adăugați o linguriță de ulei de trufe, o linguriță de trufe negre tocate mărunt (dacă aveți) și 300 ml de smântână grasă. Lăsați tigaia la foc mic în timp ce pregătiți friptura. Măcinați 40 g de boabe de piper negru și presărați-le pe o farfurie. Condimentați cu sare de mare 4 cotlete fără os, fiecare de aproximativ 250 g, apoi dați-le pe ambele părți prin piperul măcinat. Puneți o tigaie cu fundul gros la foc mare și adăugați 2 linguri de ulei de măsline. Când tigaia este foarte încinsă, prăjiți fripturile 3 minute pe fiecare parte. Dacă vă place în sânge, carnea trebuie să fie ușor flexibilă la atingere. Lăsați să se odihnească preț de câteva minute înainte de a o servi cu sosul cremos de ciuperci și trufe.

Pulpă de vită cu sos de bere și ceapă

Condimentați, pe ambele părți, cu sare de mare și cu piper negru 4 bucăți de pulpă de vită, fiecare de aproximativ 250 g. Topiți 20 g de unt într-o tigaie încăpătoare, la foc mediu. Când tigaia se încinge, adăugați carnea și prăjiți-o 3–4 minute pe fiecare parte, dacă o doriți în sânge. Scoateți-o pe o farfurie, acoperiți-o cu folie de aluminiu și păstrați-o caldă în cuptorul dat la temperatură mică, până e gata și sosul. Adăugați 1 cub de unt în tigaie, împreună cu 3 cepe tocate mărunt și 2 linguri de zahăr tos. Gătiți totul la foc mediu spre mare până când ceapa se rumenește și se caramelizează. Adăugați 1 linguriță de făină, așteptați 1 minut, apoi turnați 200 ml de bere și 300 ml de supă de vită. Lăsați-o să clocotească 8–10 minute, până când se îngroașă. Puneți fiecare bucată de carne pe o farfurie caldă și turnați pe deasupra sosul de bere și ceapă. 4 PORȚII

Friptură la grătar cu unt cu verdețuri și roșii

Pentru sos, amestecați într-un blender sau într-un mixer 100 g de roșii uscate la soare, 1 cățel de usturoi tocat mărunt și 1 ceapă roșie tocată până când obțineți o pastă omogenă. Adăugați 150 g de unt moale fără sare, 1 mână de frunze de pătrunjel tocate și arpagic. Mai amestecați puțin, apoi așezați pasta pe o folie de aluminiu și rulați strâns până când formați un cilindru cu diametrul de 3 cm. Țineți pasta la rece până când este gata de servire. Încingeți o tigaie-grill la foc mare. Ungeți cu puțin ulei de măsline 4 bucăți de mușchi de vită, fiecare de aproximativ 250–300 g, apoi condimentați-le pe ambele părți cu sare de mare și cu piper negru. Frigeți-le 3 minute pe fiecare parte, dacă le preferați în sânge. Așezați-le pe farfurii calde și lăsați-le să se odihnească preț de câteva minute. Puneți pe fiecare friptură câteva felii din untul cu verdețuri. 4 PORȚII

Costițe la grătar
cu salată coleslaw

COSTIȚELE SUNT O ALEGERE IDEALĂ dacă pregătiți masa pentru mai multe persoane. Eu le înăbuș înainte într-un sos aromat și le las apoi doar câteva minute pe grătar. Friptura consistentă și suculentă emană o aromă minunată. Desigur, puteți limita rețeta la 4, 6 sau 8 porții.

12 PORȚII

6 costițe de porc, fiecare cu câte
   6–7 oase
3 linguri de pastă de tomate
2 cepe, curățate și tăiate în sferturi
4 căței de usturoi, zdrobiți ușor
3/4 de linguriță de boabe de piper
   negru
5 cuișoare
2 ardei roșii uscați
sare de mare și piper negru

Sos de uns costițele:
4 linguri de melasă neagră
2 cepe, curățate și tocate mărunt
4 linguri de miere
4 linguri de sos Worcestershire
2 linguri de pastă de tomate
2 linguri de muștar englezesc
2 linguri de oțet de cidru
puțin sos Tabasco
zeama de la 1 lămâie

Salată coleslaw:
1 varză albă mică, tocată
4 morcovi mari, curățați și rași
8–10 linguri de maioneză
4 linguri de muștar franțuzesc
2 linguri de zeamă de lămâie
2–3 linguriță de zahăr tos

Înăbușiți mai întâi costițele – veți avea nevoie de o cratiță în care să încapă perfect (tăiați fiecare costiță pe din două, dacă vi se pare mai simplu). Turnați aproximativ 2 l de apă în cratiță și adăugați pasta de tomate, cepele, usturoiul, boabele de piper negru, cuișoarele și ardeii iuți uscați. Puneți la fiert și lăsați să clocotească la foc mare 15 minute. Adăugați costițele, sare și piper. Turnați suficientă apă încât să le acoperiți și lăsați-le să fiarbă la foc mic. Spumuiți des. Lăsați cratița la foc mic 45–60 de minute, până când carnea de pe costițe se frăgezește, adăugând apă dacă scade prea mult. Luați cratița de pe foc și lăsați-o deoparte să se răcească.

Pentru sosul cu care le ungeți, strecurați în altă cratiță zeama de la carnea înăbușită și lăsați-o să fiarbă până scade la două treimi din cantitatea inițială. Adăugați melasa, cepele, mierea, sosul Worcestershire, pasta de tomate, muștarul, oțetul de mere, sosul Tabasco, zeama de lămâie, puțină sare și piper. Amestecați la foc mare 6–8 minute, până când amestecul începe să clocotească și capătă consistența unui sirop.

Pentru salata coleslaw, tocați mărunt varza albă și amestecați-o într-un bol mare împreună cu morcovii rași. Pentru sos, amestecați maioneza, muștarul, zeama de lămâie și zahărul tos, apoi adăugați-le în varza cu morcovi. Amestecați bine și asezonați cu sare și piper, după gust. Acoperiți salata și lăsați-o să se răcească până la servire.

Pregătiți grătarul, lăsând cărbunii să ardă bine. Dacă nu aveți grătar, încingeți o tigaie-grill.

Înainte de servire, ungeți după gust costițele cu sosul pregătit și frigeți-le pe grătar sau în tigaie 1 1/2–2 minute pe fiecare parte (prepararea este ilustrată și pe pagina următoare). Serviți costițele cu salată coleslaw și pâine prăjită.

Prăjitură cu cremă à la Boston

UMPLUTĂ CU CREMĂ DE LAPTE, această prăjitură divină, stratificată are deasupra o glazură de ciocolată consistentă. A fost inventată de primul bucătar-șef al legendarului Parker House Hotel din Boston, în al cărui meniu apare și astăzi. Rețeta mea este ideală pentru mai multe persoane, însă poate fi ținută o zi la frigider dacă nu se consumă toată la o masă.   10–12 PORȚII

200 g de unt nesărat, moale, plus o
    cantitate suplimentară pentru uns
450 g de făină albă, plus o cantitate
    suplimentară pentru pudrat
4 lingurițe de praf de copt
1 praf de sare de mare fină
300 g de zahăr tos
2 lingurițe de esență de vanilie
4 ouă mari, la temperatura camerei,
    bătute ușor
225 ml de lapte integral

Cremă de lapte și ouă:
200 ml de smântână grasă
50 g de zahăr tos
1 praf de sare de mare fină
75 ml de lapte integral
1 lingură de făină de porumb
2 ouă mari
1 linguriță de esență de rom
    (sau de vanilie)

Glazură de ciocolată:
85 g de ciocolată neagră de calitate,
    bucățele
30 g de unt
60 ml de smântână grasă
60 g de zahăr pudră
1 linguriță de esență de vanilie

Preîncălziți cuptorul la 180°C (cuptor electric)/treapta 4 (cuptor cu gaz). Folosiți două forme de tort de 23 cm, cu fund detașabil, ungeți-le cu puțin unt și pudrați-le cu făină.

Cerneți făina, praful de copt și sarea într-un bol mare. Bateți untul cu zahărul în alt bol până când devine cremos. Adăugați esența de vanilie, apoi încorporați treptat ouăle. Puneți amestecul cu făină și laptele, alternativ. Împărțiți amestecul în mod egal în formele pregătite și nivelați ușor suprafața cu o spatulă. Dați-le la cuptor 20–30 de minute, până se coc (pentru a testa, înțepați-le cu o scobitoare și vedeți dacă aceasta iese curată). Lăsați-le în forme 5 minute sau mai mult, apoi mutați-le pe câte un grătar pentru a se răci complet.

Pentru umplutură, încingeți smântâna la foc mediu, într-un vas cu fundul gros, până când începe să clocotească pe margini. Adăugați imediat zahărul și sarea, amestecând până se dizolvă. Luați vasul de pe foc. Într-un bol, amestecați laptele cu făina de porumb, până se omogenizează, apoi încorporați ouăle. Turnați treptat această compoziție în crema fierbinte, amestecând continuu, la foc mic până când crema este destul de groasă și de moale, aproximativ 5 minute. Luați vasul de pe foc și adăugați romul. Lăsați crema să se răcească foarte bine, amestecând din când în când, să nu formeze crustă.

Pentru glazură, amestecați la foc mic ciocolata, untul și smântâna, într-o oală cu fundul gros, până când se înmoaie și se omogenizează. Luați oala de pe foc și adăugați zahărul pudră și vanilia. Lăsați-o să se răcească, amestecând din când în când.

Pentru a asambla prăjitura, puneți crema de lapte răcită peste unul dintre blaturi și așezați celălalt blat deasupra. Turnați glazura de ciocolată în mod uniform, lăsând-o să cadă puțin pe margini.

Plăcintă cu cireșe

ACESTA ESTE UN DESERT AMERICAN CLASIC. La fel ca plăcinta cu mere, aceasta este preferată în localurile din întreaga țară. Cel mai bine merge cu o cupă mare de înghețată de vanilie.

6–8 PORȚII

Aluat dulce:

- 125 g de unt nesărat, topit la temperatura camerei
- 90 g de zahăr tos, plus o cantitate suplimentară pentru a presăra pe deasupra
- 1 ou mare
- 250 g de făină albă, plus o cantitate suplimentară pentru pudrat
- 1–3 lingurițe de apă foarte rece (dacă este necesar)
- 1 ou mediu, bătut cu 1 lingură de apă, pentru glazurat

Umplutură:

- 1 kg de cireșe coapte, fără sâmburi
- 100 g de zahăr tos (sau vanilat)
- 3 linguri de mălai
- 25 g de unt, tăiat cubulețe

Pentru a prepara aluatul dulce, amestecați untul cu zahărul în robotul de bucătărie, până se omogenizează. Adăugați oul și amestecați 30 de secunde. Puneți făina și mai amestecați câteva secunde, până când aluatul devine uniform, adăugând puțină apă dacă este necesar. Frământați aluatul pe o suprafață tapetată cu puțină făină. Formați o minge, înveliți-o în folie alimentară și lăsați-l la frigider 30 de minute.

Împărțiți aluatul în două bucăți, una de două ori mai mare decât cealaltă. Rulați bucata mare pe o suprafață tapetată cu puțină făină până capătă grosimea unei monede. Potriviți-o într-o tavă de plăcintă adâncă de 23 cm, îndepărtând coca în exces de pe margini. Lăsați-o la rece 30 de minute.

Preîncălziți cuptorul la 220ºC (cuptor electric)/ treapta 7 (cuptor cu gaz). Pentru umplutură, amestecați cireșele într-un bol, cu zahărul și făina de porumb, apoi așezați-le în mod uniform pe suprafața plăcintei. Acoperiți cu bucățelele de unt întreaga suprafață a umpluturii. Ungeți marginile aluatului cu puțin ou.

Rulați restul de aluat și tăiați-l fâșii lungi, cu lățimea de aproximativ 1 cm. Aranjați fâșiile deasupra plăcintei sub forma unui grătar, îndepărtând tot aluatul care atârnă pe margini. Ungeți cu ou suprafața plăcintei și presărați deasupra puțin zahăr tos.

Dați plăcinta la cuptor 10 minute, apoi micșorați flacăra la 180ºC (cuptor electric)/treapta 4 (cuptor cu gaz) și mai lăsați-o 30–40 de minute, până când aluatul se rumenește, iar umplutura începe să bolborosească.

Lăsați-o să se răcească la temperatura camerei, apoi serviți-o cu câteva cupe de înghețată de vanilie.

Tort de ciocolată à la Mississippi

ACEST DESERT CONSISTENT (numit *Mississippi mud pie*, deși arată ca un tort, nu ca o plăcintă), popular în statele din sudul Americii, are o cremă groasă de ciocolată (de unde și cuvântul *mud*, care înseamnă „noroi"; de altfel, el a fost asemănat cu mlaștinile râului Mississippi, ceea ce explică denumirea sub care a ajuns să fie cunoscut) și un aluat de biscuit sfărâmicios, asemănător cu cel al prăjiturii cu brânză. Există multe variante, însă eu prefer să prepar acest tort cu ciocolată de calitate, nu cu cacao – ingredientul folosit în mod normal de gospodinele din America.

8 PORȚII

Blat de biscuit:
200 g de biscuiți digestivi
60 g de unt puțin sărat, tăiat cubulețe
60 g de ciocolată neagră de calitate, tocată

Cremă de ciocolată:
180 g de ciocolată amăruie de calitate, tocată
180 g de unt nesărat, tăiat cubulețe
4 ouă mari, bătute ușor
90 g de zahăr muscovado brun
90 g zahăr muscovado alb
200 ml de smântână grasă

Topping:
100 ml de smântână grasă, bine răcită
2–3 linguri de zahăr pudră, după gust
ciocolată rasă, pentru a presăra pe deasupra

Pentru a prepara blatul, introduceți biscuiții digestivi într-o pungă sigilată și sfărâmați-i bine cu un făcăleț. Puneți-i într-un bol mare. Topiți untul și ciocolata într-un bol termorezistent, la bain-marie. Amestecați până se înmoaie, apoi luați bolul de pe foc, turnați biscuiții sfărâmați și amestecați până se omogenizează bine.

Puneți acest amestec într-o formă de tort cu diametrul de 23 cm și fund detașabil. Cu spatele unei linguri, apăsați compoziția pe fundul și pe marginile formei, pentru a o nivela. Lăsați blatul la rece, pentru a se întări. Preîncălziți cuptorul la 180ºC (cuptor electric)/treapta 4 (cuptor cu gaz).

Pentru a prepara crema, topiți ciocolata și untul într-un bol, la bain-marie, apoi puneți vasul deoparte și lăsați crema să se răcească. În alt bol mare, bateți cu un mixer ouăle și cele două tipuri de zahăr muscovado până ce se îngroașă și își dublează volumul. Adăugați crema și amestecați, apoi adăugați ciocolata topită și untul.

Turnați amestecul peste blatul cu biscuiți și dați-l la cuptor aproximativ 45 de minute, până se întărește. Lăsați-l să se răcească bine înainte de a-l scoate din formă. (Dacă îl pregătiți dinainte, scoateți-l din frigider cu cel puțin 30 de minute înainte de servire, deoarece crema de ciocolată se va întări când se răcește).

Pentru topping, bateți smântâna cu zahăr pudră, după gust, până obțineți o frișcă groasă. Turnați-o peste blatul răcit și presărați deasupra ciocolată rasă înainte de servire, tăiați tortul felii.

Index

Gordon Ramsay's World Kitchen
Copyright © 2009 Gordon Ramsay

Text © 2009 Gordon Ramsay
Fotografii © 2009 Cris Terry
Design și machetă © 2009 Quadrille Publishing Limited

Publicată pentru prima oară de Quadrille Publishing Limited
www.quadrille.co.uk

LITERA®

Editura Litera
O. P. 53; C. P. 212, sector 4, București, România
tel.: 031 4251619; e-mail: comenzi@litera.ro

Ne puteți vizita pe

LITERA® www.litera.ro

Bucătăria lumii,
Gordon Ramsay
Copyright © 2010, Litera
pentru versiunea în limba română
Toate drepturile rezervate

Traducere din limba engleză:
Graal Soft – Integrated Translation Services

Editor: Vidrașcu și fiii
Copertă: Vladimir Zmeev
Redactor: Mirabela Mitrică
Tehnoredactare și prepress: Ofelia Coșman

Descrierea CIP a Bibliotecii Naționale a României
RAMSAY, GORDON
Bucătăria lumii / Gordon Ramsay ; trad.: Graal Soft -
București: Litera Internațional, 2010
    ISBN 978-973-675-850-8
I. Graal Soft (trad.)
641.55(100)